Jacques BLANC        Jean-Michel CARTIER        Pierre LEDERLIN

# SCÉNARIOS PROFESSIONNELS

1

C L E
international

27, rue de la Glacière 75013 Paris
**Présentation et vente aux enseignants :**
16, rue Monsieur Le Prince 75006 Paris

D1361769

CRÉDITS PHOTOGRAPHIQUES

p. 21 : Rapho, Dailloux ; p. 42 : Rapho, Vieil ; p. 79 : Foire de Lyon ; p. 98 : Revue-Bateaux ; p. 101h : Sipa-Kessler ; p. 104g : BDDP-Société Devaulay ; p.104d : Top, Swiners ; p. 116b : Charmet.
Autres photos : Michel GOUNOD


Conception graphique : Michèle ROUGÉ
Maquette : Thierry BY
Édition : Corinne BOOTH-ODOT
Recherches iconographiques : Atelier d'images
Fabrication : Pierre DAVID
Photocomposition-photogravure : Charente Photogravure

# AVANT-PROPOS

« **Scénarios professionnels** » est un ensemble de deux manuels d'apprentissage du français destiné aux adultes impliqués dans le monde du travail ou aux étudiants et lycéens se préparant à y entrer, et qui, dans leur situation professionnelle, ont ou auront à utiliser le français comme langue de travail ou comme outil de communication occasionnel.

« Scénarios professionnels » vise à la fois la compréhension et la rédaction de documents écrits (lettres, factures, devis, télécopies, messages, comptes rendus et rapports, contrats, notes, notices, modes d'emploi et articles) et la maîtrise d'une langue orale de communication professionnelle (entretiens téléphoniques ou directs, prises de parole en réunion, en public, présentation d'informations, commentaires, explications et argumentation).

Les principes pédagogiques mis en œuvre sont ceux de l'apprentissage par la **résolution de problèmes** : c'est par la réalisation d'une **tâche professionnelle** que les étudiants découvriront et acquerront les éléments dont ils ont besoin, et c'est en **communiquant** dans des situations professionnelles qu'ils mettront en œuvre et s'approprieront ces éléments.

« Scénarios professionnels » peut être aussi utilisé en apprentissage semi-guidé, du fait qu'une grande autonomie est laissée à l'apprenant quant au choix de ses stratégies de résolution de problème : entrée par les éléments linguistiques ou informatifs (page ORDRE DU JOUR), entrée par les documents écrits ou oraux (SCÉNARIOS), ou encore par une récapitulation de certains éléments langagiers (SCÉNARIOS TYPES), ou enfin par la découverte de la ou des tâche(s) finale(s) à accomplir (page BILAN).

« Scénarios professionnels » peut être utilisé également avec des faux débutants autrement qu'en suivant l'ordre des dossiers. Il permet ainsi un parcours personnalisé selon les besoins des étudiants ou les objectifs du cours.

**Chaque manuel a une durée d'utilisation de 60 à 90 heures,** selon la langue maternelle des apprenants, la fréquence des cours et la part de travail personnel.

« **Scénarios professionnels 1** » est conçu pour des **débutants complets.** Il s'adresse aussi à des étudiants qui ont déjà quelques notions de français (français de « survie » ou premiers éléments d'un français scolaire), et souhaitent réactualiser et approfondir leurs connaissances en vue d'une utilisation professionnelle. Comme il s'adresse à des débutants tout en proposant des tâches proches des situations réelles de la vie professionnelle, il présente **une progression particulière** : assez rapide au début pour que les situations évoquées soient intéressantes et vivantes, mais ménageant ensuite (et en particulier dans le 2e volume, « Scénarios professionnels 2 ») de nombreuses reprises des éléments abordés, de façon à assurer un apprentissage efficace.

« **Scénarios professionnels 1** » est composé de 24 dossiers répartis en 4 groupes de 6 dossiers, séparés par des « Pauses ».
L'ensemble pédagogique comprend, outre le présent manuel, un cahier d'activités (64 pages) et 3 cassettes d'enregistrement des documents oraux.

# SOMMAIRE

# 1. PARDON, JE CHERCHE MONSIEUR MONOD

Pardon, ...
Excusez-moi, ...

■1

C'est lui

■2

Bonjour

Très heureux

■3

---

Claire Monod
Marketing-Promotion

**JLB International**

144, rue de Vaugirard
75015 Paris
Tél. : 45 26 38 72
Fax : 45 26 12 40

■4

---

POUR INFORMATION

■ M. = Monsieur

■ Mme = Madame

■ Mlle = Mademoiselle

---

## ORDRE DU JOUR

### 1. VERBES

| ÊTRE | CONNAÎTRE | CHERCHER |
|---|---|---|
| je suis | je connais | je cherche |
| il/elle est, c'est | il/elle connaît | il/elle cherche |
| vous êtes | vous connaissez | vous cherchez |

🔲 À VOUS ! Continuez :
Je connais... je suis...

### 2. PRONOMS

JE... MOI, IL... LUI, ELLE... ELLE, VOUS... VOUS.
Je m'appelle Garaud... M. Garaud, c'est moi.
Vous êtes Mme Monod ? Mme Monod, c'est vous ?
Elle s'appelle Mme Monod. Mme Monod, c'est elle.
Il s'appelle M. Garaud. M. Garaud, c'est lui.

🔲 À VOUS ! Continuez :
Mlle Prat → Mme Nicot, M. Rosset, ...

## DAREL

18, rue Emile Zola

37130 SAINT-PATRICE

Messieurs,

■ 5

**Courtage et assurances**

56, rue Paul-Painlevé – 76000 Le Havre – Tél. : 35 46 27 32

Monsieur le directeur,

■ 6

## CORTEY

18, rue du Renard 75004 PARIS
Tél. : 48 89 24 45 – Fax. : 48 89 25 09

Madame Claire Prandini
F.S.P
42, Grande rue
68300 SAINT-LOUIS

Madame la présidente,

■ 7

■ 8

```
···DURAND                            1
   69 LYON

1  Durand Adrien          78 24 82 26
   43 r Molière 69006

2  Durand Agnès           78 52 11 12
   98 r Bossuet 69006

3  Durand Agnès           78 52 58 28
   74 cours Vitton 69006

4  Durand Alain           78 38 32 38
   101 cours Charlemagne 69002

5  Durand Alain           78 30 66 90
   63Bis r Chazière 69004

6  Durand Alain           78 83 92 10
   1Bis r Contrebandiers 69009

                    page suivante   Suite


···DURAND                            2
   69 LYON

1  Durand Alain           78 36 51 74
   20 r Jean Fauconnet 69005

2  Durand Alexandre       78 83 24 79
   16 r Docteurs Cordier 69009

3  Durand André           78 35 34 81
   315 av Andréï Sakharov 69009

4  Durand André           78 83 86 28
   1 imp Charavay 69009

5  Durand André           78 37 87 62
   14 r Enghien 69002

6  Durand André           78 83 01 55
   2 r Mouillard 69009

                    page suivante   Suite


   DURAND                            3
   69 LYON

1  Durand André           78 95 20 23
   59 r Rancy 69003

2  Durand Anne            72 38 22 36
   5 r Favorite 69005

3  Durand Annick          72 36 08 07
   28 r Baraban 69003

4  Durand Antoine         78 92 98 11
   24 r Remparts d'Ainay 69002

5  Durand Antoinette      78 24 53 28
   125 r Boileau 69006

6  Durand Arlette         78 37 66 27
   33 r Victor Hugo 69002
```

■ 9

# SCÉNARIO TYPE : JE CHERCHE MONSIEUR...

Pardon/Excusez-moi...

| | |
|---|---|
| Je cherche Mme/Mlle/M. ... | C'est elle/lui. |
| Mme/Mlle/M. ..., c'est vous ? | C'est moi. |
| Vous êtes Mme/Mlle/M. ...? | Non, désolé/e. |
| Vous êtes bien Mme/Mlle/M. ...? | |
| | |
| Daniel Brandt. | François Dupont. |
| Je suis/je m'appelle Daniel Brandt. | Très heureux/heureuse. |
| | Enchanté/e. |
| Je suis Mme/Mlle/M. ... | Et moi Mme/Mlle/M. ... |
| Je m'appelle Mme/Mlle/M. ... | Et moi François Dupont. |

■ 10

```
        MINISTÈRE
DES AFFAIRES ÉTRANGÈRES
      34, rue La Pérouse

Date : ........................... 19 ......

NOM : ..................................
           (en majuscules)
Prénom : ..............................

Profession : ...........................

Tél. (domicile ou bureau) : .........

Adresse : ..............................


PERSONNE DEMANDÉE : ..........
......................................

Signature du visiteur :    Signature de la personne demandée :



Heure d'arrivée : .......................
Heure de départ : .......................
```
■ 11

```
         SOCIÉTÉ J.M.P.
       Courtage et assurances

Directeur : M. Gérard CORDIER

Secrétariat : Mlle Nadine THÉVENOUX

Service commercial : Mme Anne NICOT
                     M. François DUCLOS

Secrétariat : Mme Muriel PRAT

Service comptable : M. Jean FAVIER
                    Mlle Anna DAVOUT
                    M. Jacques DENISOT

Service logistique : Mme Karine DUPONT
```
■ 12

## SCÉNARIO 1

– Pardon, je cherche madame Monod.
– Madame Monod ?... Je connais mademoiselle Monod...
– Non, je cherche madame Monod.
– Désolé.

**À VOUS !**
• Jouez la conversation.
• Regardez les noms (document 12) et jouez d'autres conversations.

## SCÉNARIO 2

**À VOUS !**
• Écoutez puis jouez la conversation.
• Regardez les noms (document 8) et jouez d'autres conversations.

## SCÉNARIO 3

**À VOUS !**
• Regardez le document 10. Écoutez puis jouez la conversation.
• Regardez les noms (document 9) et jouez d'autres conversations.

## SCÉNARIO 4

**À VOUS !** Écoutez la conversation puis remplissez la fiche (document 11).

Oui.

Très heureux.

■13

## BILAN

▭ 1. Écoutez et remplissez la fiche (document 16).

2. Complétez, puis jouez la conversation (document 14).

3. Monsieur Robert Martin cherche Madame Corine Dupont, de la société J.M.P.

Regardez le document 12 et jouez la conversation.

■14

■15

| MESSAGE | | |
|---|---|---|
| M. | Mme | Mlle |
| Nom .................................... | | |
| Prénom ............................... | | |
| Cherche | | |
| M. | Mme | Mlle |
| Nom .................................... | | |
| Prénom ............................... | | |

■16

4. Trouvez les questions possibles.

– Oui. Monsieur Garnier.
– Non, désolé...
– C'est moi.
– Non, je cherche Alain Grimbourg.
– C'est elle.

# 2. JE VOUDRAIS PARLER À M. BERNIER

■ 17

■ 18

■ 19

## ORDRE DU JOUR

### 1. NOMBRES

| | | | | |
|---|---|---|---|---|
| 0 zéro | 1 un | 2 deux | 3 trois | 4 quatre |
| 5 cinq | 6 six | 7 sept | 8 huit | 9 neuf |
| 10 dix | 11 onze | 12 douze | 13 treize | 14 quatorze |
| 15 quinze | 16 seize | 17 dix-sept | 18 dix-huit | 19 dix-neuf |
| 20 vingt | 21 vingt et un | 22 vingt-deux | 23 vingt-trois | 24 vingt-quatre |
| 25 vingt-cinq | 26 vingt-six | 27 vingt-sept | 28 vingt-huit | 29 vingt-neuf |

30 trente, 31 trente et un, 32 trente-deux...
40 quarante, 41 quarante et un, 42 ..., 50 cinquante..., 60 soixante...
2 + 2 = 4 (deux plus deux égale quatre)
2 × 2 = 4 (deux fois deux égale quatre)

▭ À VOUS ! Écoutez et continuez.

### 2. ADJECTIFS

♂ Il est désolé / enchanté.     ♀ Elle est désolée / enchantée.

### 3. QUESTIONS

Vous connaissez... ? Est-ce que vous connaissez... ?
Monsieur X est là ? Est-ce que monsieur X est là ?
Quel est le numéro de Mme Guy ? C'est le 12 ?

## POUR INFORMATION

■ En France, on dit les numéros de téléphone par groupes de deux :

45 13 54 11 = quarante-cinq, treize, cinquante-quatre, onze.

45 13 50 02 = quarante-cinq, treize, cinquante, zéro deux.

## Arrembécourt / PET **13**

### ARCONVILLE

Circ. tarifaire de : BAR SUR AUBE

✉ 10200 ARCONVILLE

☎ Dérangements - - - - - - - - - - - - 13
Services et
renseignements commerciaux
24 bd 14 Juillet 10007 Troyes
cedex - - - - - - - - - - - - - - - - - 14

**URGENCE (Services Locaux)**
— pompiers - - - - - - - - - - - - - - - - - - 18
— gendarmerie nationale - - - - - - - - - - 17
— " - - - - - - - - - - - - - - - 25 27 80 06
— centre 15-garde médicale et SAMU - - - 15
— EDF(sécurité dépannage) - - - - 25 27 09 93
AZAMA Noël rte Fraville - - - - - - 25 27 87 22
BERRY Louis rte Fraville - - - - - - 25 27 87 89
BERTHOLLE Marcel rte Clairvaux - - 25 27 87 95
BOTZ Philippe pl Mairie - - - - - - 25 27 81 11
BRUYÈRE Robert Grande Rue - - - - 25 27 86 45
CADET Jean pl Mairie - - - - - - - 25 27 87 06
DABKOWSKI Odette rte Clairvaux - 25 27 87 74
 » Pascal rte Clairvaux - - - - - - 25 27 87 19
DESOUBEAUX Denis rte Baroville - 25 27 86 22
DUCARROZ Roland rte Clairvaux - - 25 27 87 97
EARL DU JARDIN Ferme La Bretonnière 25 27 87 61
FORTERRE Georgette rte Clairvaux - 25 27 87 71
FOUTRIER Marie rte Fraville - - - - 25 27 87 28
GALLAND Maurice pl Mairie - - - - 25 27 87 34
GAUCHER Bernard viticulteur
— Grande Rue - - - - - - - - - - - 25 27 87 31
— même adresse - - - - - - - - - - 25 27 85 84
GAUCHER Georges Grande Rue - - - 25 27 87 83
GAULE Philippe rte Clairvaux - - - 25 27 85 82
HAMAN Marceau rte Fraville - - - - 25 27 87 09
JEANNY Daniel rte Clairvaux - - - - 25 27 87 26
JOLY Alain rte Clairvaux - - - - - - 25 27 87 27
 » Gérard Grande Rue - - - - - - - 25 27 87 65
LE CLOIREC Yves Grande Rue - - - 25 27 87 76
LEMASSON Pierre rte Fraville - - - - 25 27 84 41
LEVEILLE Joël Grande Rue - - - - - 25 27 87 45
MAIRIE pl Mairie - - - - - - - - - - 25 27 87 76
MARLOT Marie rte Baroville - - - - 25 27 87 40
MONGIN Daniel rte Baroville - - - - 25 27 87 96
 » Jean-Claude Grande Rue - - - - 25 27 87 05
NOBLOT André r Abreuvoir - - - - 25 27 87 64
 » Gilles rte Baroville - - - - - - - 25 27 87 82
 » Jean-Pierre rte Baroville - - - - 25 27 87 80
 » Pierre r Abreuvoir - - - - - - - 25 27 87 90
PIERRE Christian Grande Rue - - - - 25 27 85 99
 » Georges rte Fraville - - - - - - 25 27 87 91
 » René rte Clairvaux - - - - - - - 25 27 87 81
PONCIN Daniel rte Baroville - - - - 25 27 87 46
QUEVILLON Henri Grande Rue - - - 25 27 87 60
REITER Raymond Grande Rue - - - - 25 27 87 30
REMY Alain
— rte Baroville - - - - - - - - - - - 25 27 87 23
— *Télécopieur* - - - - - - - - - - - 25 27 85 79
REMY Jacques rte Baroville - - - - 25 27 87 72
ROY Gilbert Grande Rue - - - - - - 25 27 87 67
RUOTTE David 2 r Abreuvoir - - - - 25 27 81 99
 » Gérard rte Baroville - - - - - - 25 27 87 32
SANCHEZ Jules Grande Rue - - - - 25 27 87 66
 » Jean-Luc Grande Rue - - - - - - 25 27 87 43
SCHREINER André ferme Fraville - - 25 27 87 62
SIMONY Pierre rte Clairvaux - - - - 25 27 87 18
TABARY Dominique Grande Rue - - 25 27 84 18
TINELLE Lucienne pl Mairie - - - - 25 27 80 43
TOLU Josseline rte Clairvaux - - - - 25 27 87 85
VAN DER STRACTEN Jeannine
 ferme Fraville - - - - - - - - - - - 25 27 80 60
VIDART Rémy rte Baroville - - - - - 25 27 87 94
WELTI Anne rte Clairvaux - - - - - 25 27 87 75

### ARGANCON

Circ. tarifaire de : BAR SUR AUBE
Circ. tarifaire de : TROYES
pour les numéros commençant par **25 41**

✉ 10140 ARGANCON

☎ Dérangements - - - - - - - - - - - - 13
Services et
renseignements commerciaux
24 bd 14 Juillet 10007 Troyes
cedex - - - - - - - - - - - - - - - - - 14

**URGENCE (Services Locaux)**
— pompiers - - - - - - - - - - - - - - - - - - 18
— gendarmerie nationale - - - - - - - - - - 17
— " - - - - - - - - - - - - - 25 41 30 03
— centre 15-garde médicale et SAMU - - - 15
— EDF(sécurité dépannage) - - - - 25 27 09 83
ARNOULT Jean-Paul travaux agric
— r Endiverie Le Chanet - - - - - - 25 27 92 42
— même adresse - - - - - - - - - - 25 27 95 45
— *Télécopieur* - - - - - - - - - - - 25 27 95 54
— r Endiverie Le Chanet
 *Téléphone de voiture* - - - - - - 25 75 99 34
ARNOULT Martial r Principale - - - 25 27 90 57
BAUDOIN Paul r Principale Le Chanet 25 27 90 59
BAUDOUIN Alain
 r Principale Le Chanet - - - - - - 25 27 90 60
BEADES Olivier r Principale - - - - 25 27 95 20
BEDU Michel r Eglise - - - - - - - 25 27 93 63
BOURG Pierre r Principale - - - - - 25 27 92 38
BOYON Renée r Principale - - - - - 25 27 93 39
BUREAU Claude r Principale - - - - 25 27 94 88
CHAPELLE Simone r Principale - - - 25 27 90 56
COLLOT Jean-Marie r Principale - - 25 27 94 91
 » Maurice r Principale - - - - - - 25 27 91 70
CROPAT Gabriel - - - - - - - - - - 25 27 94 84
DUFANT René r Cannes - - - - - - 25 27 91 88
ECOLE PUBLIQUE r Principale - - - 25 27 94 93
FARFELAN Bernard r Principale - - 25 27 92 10
 » Claude r Cannes - - - - - - - - 25 27 90 07
FEVRE Philippe r Principale - - - - 25 27 94 32
GERVAIS Martine r Principale - - - 25 27 91 56
GOMEZ Denis r Principale - - - - - 25 27 93 95
GOUVENO Maurice r Principale - - 25 27 90 92

GUERRAPIN Christian
 r Principale Le Chanet - - - - - - 25 27 92 03
JOUY Gaston r Principale - - - - - 25 27 93 27
 » Serge Vieille Rue - - - - - - - - 25 27 91 39
KRAMER Jean-Claude r Principale - 25 27 90 67
LABRUNIE Léon Vieille Rue - - - - 25 27 91 05
MAIRIE r Principale - - - - - - - - 25 27 94 01
MARCEAU Daniel r Principale - - - 25 27 92 47
MAREUGE Rose r Bois - - - - - - - 25 27 91 73
MARLIN Jean r Eglise - - - - - - - 25 27 91 83
MERTRUD Everdina
 r Principale Le Chanet - - - - - - 25 27 92 33
PÉRINI Nicole Vieille Rue - - - - - 25 27 92 88
PETIT Bernard r Principale - - - - 25 27 93 88
 » Gérard r Principale - - - - - - - 25 27 91 52
 » Guy entrepr menuis r Principale 25 27 91 30
 » Paulette r Principale - - - - - - 25 27 93 71
PETOUCHKOFF Pierre rte Chanet - 25 27 94 73
PIERRET Claude r Principale - - - - 25 27 90 18
PIROTH André r Principale - - - - 25 27 90 51
POMMIER Emile r Principale
POSTE D'ABONNEMENT PUBLIC
 r Principale Le Chanet - - - - - - 25 27 92 03
RUELLE Marie-Claude et Claude
 r Principale - - - - - - - - - - - 25 27 91 82
SIMON Gabriel r Principale - - - - 25 27 95 13
THOMAS Pierre r Principale - - - - 25 27 91 79
TOURNEMEULLE Georges
 r Principale - - - - - - - - - - - 25 27 91 80
 » Joël r Principale - - - - - - - - 25 27 91 24
 » Rémi r Principale - - - - - - - - 25 27 91 64

### ARRELLES

Circ. tarifaire de : BAR SUR SEINE

✉ 10340 ARRELLES

☎ Dérangements - - - - - - - - - - - - 13
Services et
renseignements commerciaux
24 bd 14 Juillet 10007 Troyes
cedex - - - - - - - - - - - - - - - - - 14

**URGENCE (Services Locaux)**
— pompiers - - - - - - - - - - - - - - - - - - 18
— gendarmerie nationale - - - - - - - - - - 17
— " - - - - - - - - - - - - - 25 29 30 26
— centre 15-garde médicale et SAMU - - - 15
— EDF(sécurité dépannage) - - - - 25 29 82 59
ANGE Robert - - - - - - - - - - - - 25 29 83 93
CHARDIN Alain rte Vaudron - - - - 25 29 94 45
 » Georges rte Vaudron - - - - - - 25 29 82 39
COLIN René chem Petites Côtes - - 25 29 66 04
CORBIN Gérard rte Vaudron - - - - 25 29 99 87
CORPET Daniel chem Val St Père - - 25 29 95 11
DECHANNES Denise r Principale - - 25 29 85 71
 » Jacques rte Vaudron - - - - - - 25 29 86 24
 » Jean-Claude serrurier pl Eglise
DUCHARME Paul expert comptab
 — rte Villemorien - - - - - - - - - 25 29 87 98
 — *Télécopieur* - - - - - - - - - - 25 29 11 77
ENTREPRISE SALERA chem Fontaine 25 29 85 87
FLEUCHY Roland chem Chapelle - - 25 29 98 52
GIBLAS Claude rte Villemorien - - 25 29 35 80
GOUDARD Jean-Michel - - - - - - 25 29 96 26
 » Michel pl Eglise - - - - - - - - 25 29 80 76
GOUSSARD Clotilde cabine - - - - 25 29 86 80
 — r Principale - - - - - - - - - - 25 29 17 93
 » Léon r Principale - - - - - - - 25 29 76 02
GUILLAUMONT Gérald pl Eglise - 25 29 95 13
GUILLEMIN Robert r Principale - - 25 29 83 72
GYEJACQUOT Paulette pl Eglise
GYEJACQUOT Pierrette
 chem Chapelle - - - - - - - - - - 25 29 84 64
HUBSCHWERLIN Maurice r Principale 25 29 99 15
 JUIF Blanche r Principale - - - - - 25 29 92 00
 » Roger chem Calvaire - - - - - - 25 29 83 94
LAHAYE André r Principale - - - - 25 38 58 81
LEAUX Robert rte Vaudron - - - - 25 29 81 89
MAIRIE pl Eglise - - - - - - - - - 25 29 99 74
MARIN Camille chem Marin - - - - 25 29 83 65
MILLEY Pierre r Principale - - - - 25 29 86 76
PAULET Hubert chem Chapelle - - 25 29 80 28
SALERA Robert entrepr maçonn
 chem Chapelle - - - - - - - - - - 25 29 85 22
SAUTEREAU Chantal bar brasserie
 rte Villemorien - - - - - - - - - - 25 29 73 20
SOUDIER François chem Chapelle - 25 29 81 15
VALLÉE Alain chem Petites Côtes - 25 29 95 39

### ARREMBÉCOURT

Circ. tarifaire de : BAR SUR AUBE

✉ 10330 ARREMBÉCOURT

☎ Dérangements - - - - - - - - - - - - 13
Services et
renseignements commerciaux
24 bd 14 Juillet 10007 Troyes
cedex - - - - - - - - - - - - - - - - - 14

**URGENCE (Services Locaux)**
— pompiers - - - - - - - - - - - - - - - - - - 18
— gendarmerie nationale - - - - - - - - - - 17
— " - - - - - - - - - - - - - 25 92 10 07
— centre 15-garde médicale et SAMU - - - 15
— EDF(sécurité dépannage) - - - - 25 27 09 83
BOUCHET Christian r Principale - - 25 92 15 96
BOURDON Maurice r Principale - - 25 92 13 38
GAUDIN Marie-Christine r Principale 25 92 13 05
GNOWACKI Anna r Principale - - - 25 92 13 27
HERBIN Jean r Principale - - - - - 25 92 10 63
MAIRIE r Principale - - - - - - - - 25 92 14 91
MASSON Dominique
 chem Bailly le Franc - - - - - - - 25 92 12 56
MISSEGHERS Joseph agricult élev
 r Principale - - - - - - - - - - - 25 92 10 66
ORTILLION Pierre chem Haut Chemin 25 92 10 68
ORTILLON Didier chem Bailly le Franc 25 92 14 29
 » Gilbert r Principale - - - - - - 25 92 11 92
 » Marcel chem Bailly le Franc - - 25 92 12 14
PARFAIT Jacques chem Bailly le Franc 25 92 11 39
 » Philippe ferme Rouge Grange - 25 92 13 85
PETITCOLAS Ida r Principale - - - 25 92 12 70

---

**MESSAGE**

Destiné à M. _____ à : _____

le : _____

M. _____

de la Société : _____

☐ a téléphoné ☐ est passé

☐ demande que vous le rappeliez vers : _____

au N° _____ vers : _____

☐ vous rappellera

le : _____

☐ a laissé le message suivant : _____

_____

_____

_____

_____

_____

Message reçu par : _____

■21

---

**MESSAGE**

Destiné à M. *me Revel* _____

le : _____ à : _____ h ____

M. *M. Barnier* _____

de la Société : _____

☒ a téléphoné ☐ est passé

☒ demande que vous le rappeliez
au N° *54 38 22 13* vers : _____ h ____

☐ vous rappellera vers : _____ h ____

le : _____

☐ a laissé le message suivant : _____

*Rappeler S.V.P.*

*(poste 34)*

Message reçu par : *G. Charlieu*

■22

## SCÉNARIO TYPE : AU STANDARD TÉLÉPHONIQUE

Allô, bonjour.

DÉCATOR, bonjour.
Allô !

Allô ! je voudrais parler à ...
Bonjour, je voudrais parler à ...

C'est de la part de qui ?
Un instant (s'il vous plaît).
Ne quittez pas (s'il vous plaît).
Désolé/e, il/elle n'est pas là,
vous pouvez rappeler ?
Il/elle n'est pas là, vous voulez laisser
un message ?

Vous pouvez prendre un message s'il
vous plaît ?

peux ? pouvez ? → voir verbe POUVOIR p. 129

## SCÉNARIO 1

▭

– Renseignements, bonjour.
– Bonjour, je voudrais le numéro de monsieur Darget à Marigny s'il vous plaît.
– Monsieur Darget ... C'est le 33 55 11 16.
– 33 55 11 13 ... Merci.
– Non ! Pas 13 ; 16, 2 fois 8, vous comprenez ?
– 33 55 11 16 ?
– Oui, c'est ça.
– Merci.
– Je vous en prie.

**À VOUS !** Jouez la conversation, puis d'autres (regardez le document 20).

## SCÉNARIO 2

▭ **À VOUS !**
• Écoutez.
• Jouez la conversation.
• Jouez-la à nouveau, mais le correspondant n'est pas poli.

## SCÉNARIO 3

▭ À VOUS ! Écoutez et dites quel document correspond.

▭ 3 bis À VOUS ! Écoutez le dialogue et écrivez le message (document 21).

## SCÉNARIO 4

▭ À VOUS ! Jouez d'autres conversations.

---

**DÉCATOR**

5, boulevard Sérurier
75017 Paris
Tél. : 45 67 54 00
SERVICE COMPTABILITÉ

| NOM | POSTE | BUREAU |
|---|---|---|
| Géraldine CHARLIEU | 5411 | 04 |
| Alain DESTOUR | 5445 | 15 |
| Hubert FRADIN | 5421 | 10 |
| Claudia GRANGEON | 5415 | 08 |
| René JAFFARD | 5416 | 09 |
| Claude VARRAULT | 5419 | 12 |
| Françoise ZANONI | 5414 | 07 |

■23

## SCÉNARIO TYPE : DANS L'ENTREPRISE

Pardon, le bureau de Mlle ... s'il vous plaît ?
Excusez-moi, je cherche le bureau de Mme ...
Le bureau de M. ..., c'est bien le 015 ?

Mlle ... ? Bureau 38.
C'est le bureau 38.

Oui, c'est ça.
Non, c'est le 017.

Merci.

Je vous en prie.

**G. DAMBRUN**

Tél. 45 32 51 28
50, rue de Belleville - 75019 Paris

■24

**RADIO - TAXIS**

≡ **AGUR** ≡

☎ **59 47 38 38**

**SAINT-JEAN-DE-LUZ - CIBOURE**

Christian SOULET

■25

■26

# BILAN

**1. Écoutez et répondez.**

1. vrai ☐   faux ☐
2. vrai ☐   faux ☐
3. vrai ☐   faux ☐
4. vrai ☐   faux ☐
5. vrai ☐   faux ☐
6. vrai ☐   faux ☐

**2. M. Georges Dambrun appelle Mme Véronique Debreuil.**

• Il téléphone aux renseignements pour connaître le numéro. Jouez la conversation.

• Il appelle Mme Debreuil. Écoutez la réponse et continuez.

**3. Mme Debreuil rappelle.**

a) M. Dambrun est là.
b) M. Dambrun n'est pas là. Mme Debreuil laisse un message.

**4. Comment demander un numéro de téléphone ? (Quatre manières différentes.)**

**5. Quelle est la bonne réponse ?**

1. Excusez-moi, je suis désolé !
a. S'il vous plaît.
b. Je vous en prie.
c. Merci.

2. Merci !
a. S'il vous plaît.
b. Je vous en prie.
c. Pardon.

3. Elle n'est pas là !
a. Je la rappelle.
b. Ne quittez pas.
c. Enchanté.

4. Vous téléphonez. Vous voulez parler à M. Dampierre. Vous entendez au téléphone : « Allô ! Ici Gentil. » Qu'est-ce que vous dites ?

# 3. VOUS POUVEZ ÉPELER ?

■28

■27

■29

## ORDRE DU JOUR

### 1. ÉPELER

L'ALPHABET

A.B.C.D.E.F.G.H.I.J.K.L.M.N.O.P.Q.R.S. T.U.V.W.X.Y.Z.

Comment ça s'écrit ? Ça s'écrit comment ?
Vous pouvez épeler s'il vous plaît ?

| é | = E accent aigu. |
| è | = E accent grave. |
| ll | = deux L. |
| ç | = C cédille. |
| - | = trait d'union. |
| ' | = apostrophe. |

À VOUS ! Écoutez et répétez.

■30

### 2. S'APPELER

Je m'appelle Herbert.
Il/elle s'appelle Arnaud.
Vous vous appelez Bonnal ?

À VOUS ! Écoutez, puis continuez.

### 3. NE... PAS - OUI/SI

• M. Garin est là ?

– Oui, il est là.
– Non, il n'est pas là.

• M. Garin n'est pas là ?

– Si, il est là.
– Non, il n'est pas là.

À VOUS ! Jouez d'autres conversations :
• Vous cherchez monsieur/madame ...
• Vous comprenez le français ?

LYON • MARSEILLE
MITTERRAND • TOTAL
EIFFEL • NAPOLÉON
CHATEAUBRIAND • REIMS • TRUFFAUT
ROUSSEL-UCLAF • LE LOUVRE
RHÔNE-POULENC • DIOR • DENEUVE
CHARPACK • CHANEL • CARDIN
LES CHAMPS-ÉLYSÉES
YVES SAINT-LAURENT
JOLIOT-CURIE • BEAUJOLAIS
RENOIR • PASTEUR • VERSAILLES
PÉCHINEY • MÉRIEUX
ELF-AQUITAINE • DESCARTES • DURAS
DEPARDIEU • RAVEL • HERMÈS
CANNES • PROST • HUGO
DE GENNES

## ÉDITIONS DU LION

### SALON DU LIVRE

STAND J 23 - TÉL. 43 22 47 28

**JEUDI 3 MAI**

9 h/13 h : J. Gaillard/C. Sable

13 h/19 h : M. Durand/D. Korach

**VENDREDI 4 MAI**

9 h/13 h : C. Sable/C. Redon

13 h/19 h : J. Gaillard/R. Avril

**SAMEDI 5 MAI**

9 h/13 h : C. Voisin/M. Herbert

13 h/19 h : L. Kerhir/M. Durand

■ 32

■ 33

## SCÉNARIO 1

🔲

– Vous connaissez Bordeaux ?
– Non, je ne connais pas.
– Mais si, Bordeaux...
– Vous pouvez épeler ?
– B.O.R.D.E.A.U.X.
– Ah ! bien sûr, je connais.

**À VOUS !** Jouez la conversation, puis regardez les noms (document 31) et jouez d'autres conversations.

## SCÉNARIO 2

🔲

– Vous connaissez M. Garnier ?
– Non, Pierre Gibaud, enchanté.
– Michel Garnier, enchanté.

**À VOUS !** Au Salon du livre, vous présentez J. Gaillard à C. Sable. (Pour vous aider, regardez le document 34.)

## SCÉNARIO 3

🔲 **À VOUS !** Jouez la conversation, puis d'autres.

– Mme Joliot-Curie voudrait parler à M. Pasteur.
– M. Chateaubriand voudrait parler à M. Hugo.
– Mme ...

## SCÉNARIO 4

🔲 **À VOUS !** Jouez la conversation, puis d'autres.

– Quelqu'un cherche M. Clémentz-Rondard.
– Quelqu'un voudrait parler à Mme Lhospied-Maillefoud.
– ...

## SCÉNARIO 5

🔲 **À VOUS !** Jouez d'autres conversations.

## SCÉNARIO TYPE : AU TÉLÉPHONE

Allô (bonjour), je voudrais parler à M./Mme/Mlle ... s'il vous plaît. M./Mme/Mlle ... est là/n'est pas là ?

Un instant s'il vous plaît/ne quittez pas,
... je vous passe M./Mme/Mlle ...
C'est de la part de qui ?
Pardon ?
Vous pouvez répéter (s'il vous plaît) ?
Vous pouvez épeler (s'il vous plaît) ?
Ça s'écrit comment ?/Comment ça s'écrit ?
Vous l'écrivez comment ? Avec deux L ?
Oui/si, je vous le/la passe.

---

### ÉDITIONS DU LION

| | | |
|---|---|---|
| 5284 ANTONIO Fernando | 5012 ÉVENO Bertrand | 5035 PETIT Danielle |
| 5353 ARDAILLON Pascale | 5012 Secr. : E. Coletti | 5082 PIEL Christine |
| 5239 AVRIL Régine | | 5061 PILLOUX Nicole |
| | 5116 FABING Yvon | |
| 5173 BAUDOIN Jean-Paul | 5146 FONTANE Christine | 5007 RÉBOTTIERE Christelle |
| 5173 Secr. : E. Rouzies | 5144 FOURNIER-GAHÉRY Luc | 5052 REBY Michelle |
| 5779 BEAUPUIS Bernadette | | 5277 REDON Christine |
| 5257 BEAUSSE Arianne | 5350 GAILLARD Jacques | 5137 Restaurant d'entreprise |
| 5090 BERTIN Laurence | 5351 Secr. : M. Reby | 5373 ROUGET Patrice |
| | 5568 JACQUEMIN Sylvette | 5173 ROUZIES Élisabeth |
| 5232 CLÉRET Brigitte | 5072 JALLOIS Annie | |
| 5294 CODET Gilbert | | 5155 SABLE Claude |
| 5131 COLETTI Éliane | 5366 KERHIR Louisette | 5164 SAFARI Soussan |
| | 5234 KITTEL Anne-Catherine | 5289 Salle audiovisuelle |
| 5238 DUNAUD Reine | 5010 Secr. : C. Walker | |
| 5197 DURAND Michel | 5098 KORACH Dominique | 5116 VALLÉE Claude |
| 5149 DUTHEIL Jean | | 5239 VARONE Meriem |
| | 5618 L'HÉRITIER Éric | 5600 VOISIN Colette |
| 5170 ÉBERHARDT Paul | 5191 LABARTHE Yves | |
| 5116 EHRLICH Maurice | 5099 LABORDE-PANNETIER Geneviève | 5010 WALKER Catherine |

■34

---

# BILAN

[cassette] **1. Écoutez et écrivez ce que vous entendez.**

---

**2. Myriam Skrzypczak téléphone aux éditions du Lion.**

Elle demande Anne-Catherine Kittel. La standardiste répond.
a) Anne-Catherine Kittel est là.
b) Anne-Catherine Kittel n'est pas là, mais sa secrétaire est là.

---

**3. Martine Laffont téléphone aux éditions du Lion.**

Elle demande Monsieur Herbert (*).

---

**4. Jeudi 3 mai, au Salon du livre. Michelle Plouzyg veut voir Colette Voisin. Quelqu'un du stand lui répond (document 32).**

---

**5. Samedi 5 mai, Michelle Plouzyg est à nouveau au Salon du livre, et veut voir Colette Voisin.**

---

**MYRIAM SKRZYPCZAK**

*Maquettiste*

SIRCX
3, allée des Peupliers - 75013 Paris

■35

---

**6. Trouvez les questions possibles.**

– Si, il est dans son bureau.
– Non, je ne connais pas M. Lanoy.
– Non, aigu.
– L.E.R.O.Y.
– Si, avec un accent grave.

---

**7. Demandez à quelqu'un d'épeler son nom. (Trois phrases différentes.)**

---

**8. On vous parle et vous ne comprenez pas ou pas très bien. Qu'est-ce que vous dites ? (Cinq phrases différentes.)**

---

* Quelque chose ne va pas dans le tableau des présences au Salon du livre des éditions du Lion. Cherchez !

---

# 4. MON ENTREPRISE

---

## Le Groupe France Télécom en 1992

*Un chiffre d'affaires de 122,6 milliards de francs pour la maison mère
et de 15,4 milliards de francs pour Cogecom.
Des effectifs de 168 000 personnes.
Une priorité donnée à la recherche : 4% du chiffre d'affaires.
Le quatrième opérateur mondial de télécommunications.
La huitième entreprise française par le chiffre d'affaires.*

■ 36

## ORDRE DU JOUR

### 1. LES NOMBRES

70 soixante-dix [1]
71 soixante et onze
72 soixante-douze
73 soixante-treize
74 soixante-quatorze
75 soixante-quinze
76 soixante-seize
77 soixante-dix-sept
78 soixante-dix-huit
79 soixante-dix-neuf
80 quatre-vingts [2]
81 quatre-vingt-un
82 quatre-vingt-deux ...
90 quatre-vingt-dix [3]
91 quatre-vingt-onze
92 quatre-vingt-douze ...
100 cent
101 cent un
102 cent deux ... 145 cent quarante-cinq ... 203 deux cent trois ...
1 000 mille ... 1 345 mille trois cent quarante-cinq ... 7 777 sept mille sept cent soixante-dix-sept ...
10 000 dix mille ...
100 000 cent mille ...
1 000 000 un million ...
1 000 000 000 un milliard ...

(1) Septante en Belgique et en Suisse.
(2) Octante en Suisse.
(3) Nonante en Belgique et en Suisse.

▭ À VOUS ! Écoutez et continuez.

### POUR INFORMATION

■ Les Français aiment beaucoup les sigles : ils disent P.-D.G. pour président-directeur général, D.R.H. pour directeur des ressources humaines, CA pour chiffre d'affaires, et même KF pour kilofranc !
250 KF = 250 000 francs.

## ALCATEL ALSTHOM

Alcatel Alsthom, avec un chiffre d'affaires de 161,7 milliards de francs en 1992 et 203 000 personnes réparties sur les cinq continents, figure parmi les quarante premiers groupes mondiaux.
Dans chacun de ses trois domaines d'activités — la communication, l'énergie et les transports — Alcatel Alsthom est un acteur majeur des évolutions technologiques industrielles et commerciales à l'échelle de la planète.
Sa présence commerciale se déploie dans 110 pays.

■ 37

### 2. LES POSSESSIFS

Bien sûr, **je** connais **le** numéro.
C'est **mon** numéro !
Bien sûr, **il** connaît **la** société.
C'est **sa** société !

| je | ... le | ... mon |
| | ... la | ... ma |
| il/elle | ... le | ... son |
| | ... la | ... sa |
| vous | ... le/la | ... votre |
| nous | ... le/la | ... notre |

**N.B.**
ma + a/e/i/o/u → mon a/e/i/o/u
~~ma entreprise~~ → mon entreprise
~~ma usine~~ → mon usine

**À VOUS !** Continuez avec :
usine, message, nom, ... et avec :
je → vous, il, etc.

### 3. COMBIEN DE ... ?

Vous avez **combien de** bureaux ?
Il y a **combien d'**employés ?

CURRICULUM

## SCÉNARIO TYPE : MON ENTREPRISE

Vous avez combien / Il y a combien
- d'employés ?
- d'usines ?
- de points de vente ?
- d'associés ?

Nous avons : 1 000 employés
6 usines
10 bureaux
1 500 points de vente

Vous produisez
- combien de ... ?
- quoi ?

Il y a ...
Nous sommes une société de ...

Vous faites combien de chiffre d'affaires ?

| sommes ? → voir verbe ÊTRE p. 127 |
| faites ? → voir verbe FAIRE p. 127 |

■ 42

# FRAMATON

*880* points de vente,

*2 400* personnes

et *14* années consécutives

de croissance (15 % en 1993)
Un CA de 2 900 000 000 F.

Nos objectifs sont clairs : 1 000 points de vente
pour l'an 2 000. Si vous voulez rejoindre une
entreprise dynamique, *téléphonez au (1) 42 37 90 54.*

– Mon entreprise ... j'ai un chiffre d'affaires de 345 millions de francs, et j'ai 350 employés ...
– Pardon ? 345 millions ?
– Mon chiffre d'affaires, oui.
– Vous avez combien d'usines ?
– J'ai trois usines. Et nous avons 400 points de vente.
– Nous ?
– Oui, ALTER S.A. et moi. Pour les points de vente nous sommes partenaires.

| ai ? avez ? avons → voir verbe AVOIR p. 127 |

**À VOUS !**
- Écrivez une présentation pour la société EGO.

- Imaginez que Gilles Chatenoud ne rencontre pas le P.-D.G., mais le directeur de la D.R.H. ; jouez la conversation.
(Vous connaissez l'entreprise ? Elle a un CA ...).

- Imaginez une conversation entre un stagiaire et un directeur de RENAULT ou PEUGEOT.

## SCÉNARIO 1

🔲 À VOUS ! Écoutez et écrivez une présentation pour PEUGEOT. (Regardez le document 41.)

## SCÉNARIO 2

🔲
– Pardon, M. Moisset ?
– Oui ... ah, vous êtes le stagiaire ?
– Oui, Gilles Chatenoud.
– Très heureux ! Vous connaissez mon entreprise, la société EGO ?
– Euh ...

## SCÉNARIO 3

**À VOUS !**
- Vous êtes employé à la société FRAMATON, et vous présentez votre société à un collègue.

- Faites un petit texte de présentation de FRAMATON pour le public. Pour vous aider, lisez le document 38.

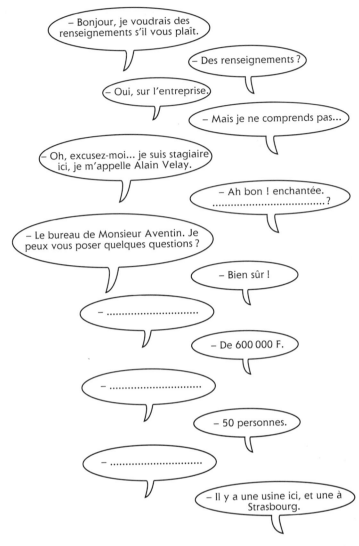

— Bonjour, je voudrais des renseignements s'il vous plaît.

— Des renseignements ?

— Oui, sur l'entreprise.

— Mais je ne comprends pas...

— Oh, excusez-moi... je suis stagiaire ici, je m'appelle Alain Velay.

— Ah bon ! enchantée. ..................................?

— Le bureau de Monsieur Aventin. Je peux vous poser quelques questions ?

— Bien sûr !

— ..............................

— De 600 000 F.

— ..............................

— 50 personnes.

— ..............................

— Il y a une usine ici, et une à Strasbourg.

■ 43

## BILAN

 **1. Écoutez et répondez.**

1. vrai ☐   faux ☐
2. vrai ☐   faux ☐
3. vrai ☐   faux ☐
4. vrai ☐   faux ☐
5. vrai ☐   faux ☐
6. vrai ☐   faux ☐

**2. Complétez et jouez la conversation ci-contre.**

**3. Présentez votre entreprise ou une entreprise idéale.**

**4. Trouvez les questions possibles.**

— Non, ce n'est pas mon entreprise.
— Oui, mon bureau, c'est ici.
— Non, son usine n'est pas ici.
— Oui, j'ai un CA de 25 millions.
— Ici ? 200.
— Non, je ne connais pas son entreprise.
— Non... Je voudrais des renseignements.
— Nous produisons des téléphones.

# 5. UNE ENTREPRISE EUROPÉENNE

■45

## ORDRE DU JOUR

**L'ALLEMAGNE :**
• S* : 375 000 km² • P : 79 500 000 h. (Allemands) • Cap : Berlin • L : allemand • M : Deutsche Mark

**LA BELGIQUE :**
• S* : 30 500 km² • P : 9 900 000 h. (Belges) • Cap : Bruxelles • L : allemand, français, néerlandais • M : franc belge

**LE DANEMARK :**
• S* : 43 000 km² • P : 5 100 000 h. (Danois) • Cap : Copenhague • L : danois • M : couronne danoise

**L'ESPAGNE :**
• S* : 505 000 km² • P : 40 000 000 h. (Espagnols) • Cap : Madrid • L : espagnol • M : peseta

**LA FRANCE :**
• S* : 549 000 km² • P : 56 000 000 h. (Français) • Cap : Paris • L : français • M : franc

**LA GRÈCE :**
• S* : 132 000 km² • P : 10 100 000 h. (Grecs) • Cap : Athènes • L : grec • M : drachme

**L'IRLANDE :**
• S* : 70 000 km² • P : 3 600 000 h. (Irlandais) • Cap : Dublin • L : irlandais et anglais • M : livre irlandaise

**L'ITALIE :**
• S* : 301 000 km² • P : 57 400 000 h. (Italiens) • Cap : Rome • L : italien • M : lire

**LE LUXEMBOURG :**
• S* : 2 586 km² • P : 365 000 h. (Luxembourgeois) • Cap : Luxembourg • L : français • M : franc luxembourgeois

**LES PAYS-BAS :**
• S* : 34 000 km² • P : 14 500 000 h. (Néerlandais) • Cap : Amsterdam • L : néerlandais • M : florin

**LE PORTUGAL :**
• S* : 92 000 km² • P : 10 300 000 h. (Portugais) • Cap : Lisbonne • L : portugais • M : escudo

**LE ROYAUME-UNI :**
• S* : 244 000 km² • P : 57 300 000 h. (Britanniques) • Cap : Londres • L : anglais • M : livre sterling

S* : superficie - P : population - Cap : capitale - L : langue - M : monnaie

■44

## 1. PAYS ET NATIONALITÉS

la France :
un Français - une Française

le Japon : Japonais/e
la Finlande : Finlandais/e
la Pologne : Polonais/e
la Chine : Chinois/e
la Suède : Suédois/e
le Danemark : Danois/e
l'Allemagne : Allemand/e
l'Espagne : Espagnol/e
la Suisse : Suisse/-

l'Italie :
un Italien - une Italienne

l'Autriche : Autrichien/ne
le Canada : Canadien/ne
l'Australie : Australien/ne
les États-Unis : Américain/e
le Maroc : Marocain/e
le Mexique : Mexicain/e
la Grèce : Grec/Grecque
la Turquie : Turc/Turque
la Belgique : Belge/-

🔲 À VOUS ! Écoutez et continuez.

## 2. EN ou AU ?

| la | | la France | en France |
|---|---|---|---|
| l' | → en | l'Italie | en Italie |
| le | → au | **le** Portugal | au Portugal |
| les | → aux | **les** Pays-Bas | aux Pays-Bas |

🔲 À VOUS ! Écoutez et continuez.

## 3. ARTICLES

| masculin | féminin | pluriel |
|---|---|---|
| un Allemand un pays | une Italienne une capitale | des Belges des langues |
| le Portugal l'accent | la population l'Italie | les monnaies les Danoises |

## 4. PRONOMS

| SINGULIER | | PLURIEL | |
|---|---|---|---|
| masculin | féminin | masculin | féminin |
| il | elle | ils | elles |

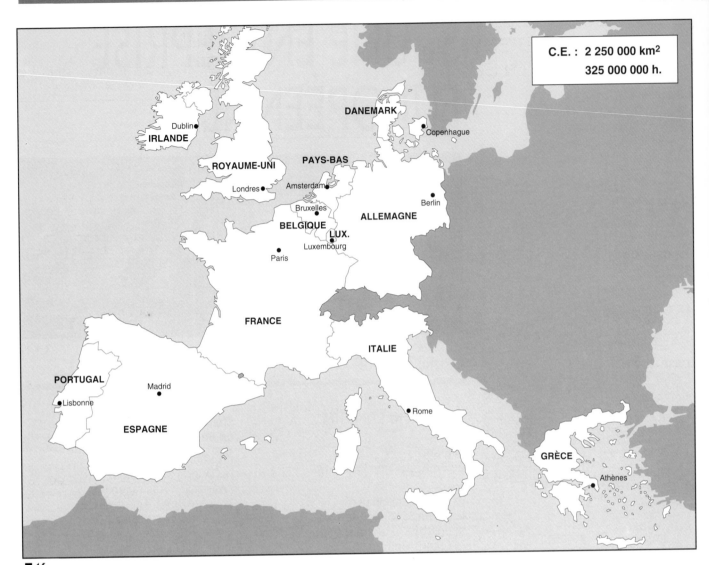

C.E. : 2 250 000 km²
325 000 000 h.

DANEMARK
Copenhague

IRLANDE
Dublin

ROYAUME-UNI
PAYS-BAS
Londres
Amsterdam
Berlin
Bruxelles
ALLEMAGNE
BELGIQUE
LUX.
Luxembourg
Paris

FRANCE

ITALIE

PORTUGAL
Madrid

Lisbonne

ESPAGNE

Rome

GRÈCE
Athènes

■46

# ℛ Rhône-Poulenc : secteur agrochimie

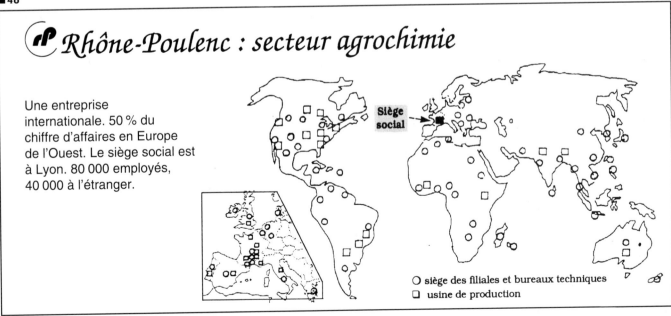

Une entreprise internationale. 50 % du chiffre d'affaires en Europe de l'Ouest. Le siège social est à Lyon. 80 000 employés, 40 000 à l'étranger.

Siège social

○ siège des filiales et bureaux techniques
□ usine de production

■47

# BIENVENUE
# EN SUISSE !

La Suisse ou Schweiz en allemand, ou Svizzera en italien, ou encore Confédération helvétique (CH), est un pays d'Europe de 41 293 km². Les Suisses sont 6 480 000. Ils ont quatre langues officielles : l'allemand, le français, l'italien et le romanche, mais beaucoup de Suisses parlent aussi une langue étrangère. La monnaie est le franc suisse. La capitale est Berne, mais Genève est une ville très importante : elle a une vocation internationale (Société des Nations de 1920 à 1946, Croix-Rouge internationale, Organisation Mondiale de la Santé, Organisation internationale et Bureau international du travail).

## SCÉNARIO 1

 À VOUS ! Écoutez, dites de quel pays on parle, et continuez.

## SCÉNARIO 2

– Notre société est en Belgique.
– Dans la capitale ?
– Oui, nous sommes à Bruxelles.
– Et quelle est votre langue de travail ?
– Nous avons deux langues : le néerlandais et le français, mais beaucoup de personnes parlent aussi anglais.
– Vous êtes combien dans votre société ?
– Trois cents employés.
– Vous avez des filiales à l'étranger ?
– Non.

> sont ?
> sommes ? → voir verbe ÊTRE p. 127
> êtes ?
>
> ont ?
> avons ? → voir verbe AVOIR p. 127
> avez ?

À VOUS ! Vous arrivez comme intérimaire chez RHÔNE-POULENC. Interrogez un employé (regardez le document 47).

## SCÉNARIO 3

À VOUS ! Écrivez une présentation de votre pays, ou d'un pays d'Europe (regardez le document 48).

> **POUR INFORMATION**
>
> ■ 59 % des Français connaissent une langue étrangère. Parmi eux, 52 % parlent l'anglais, 18 % l'allemand, 16 % l'espagnol et 6 % l'italien (sondage « Today in English »).

■ 48

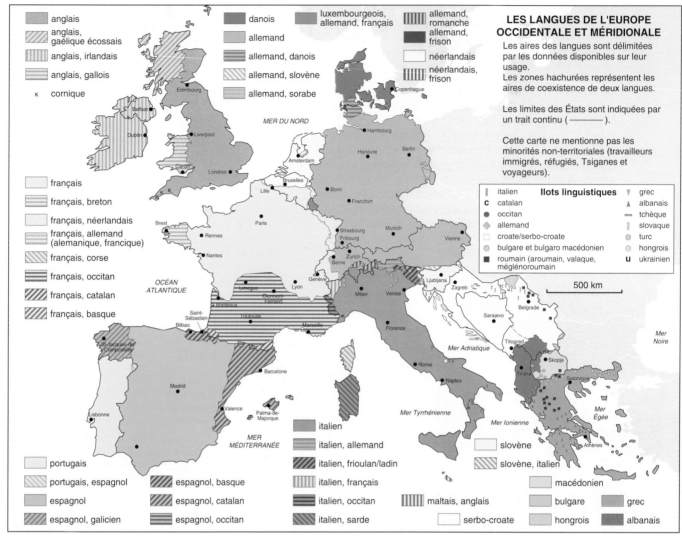

**LES LANGUES DE L'EUROPE OCCIDENTALE ET MÉRIDIONALE**

Les aires des langues sont délimitées par les données disponibles sur leur usage.
Les zones hachurées représentent les aires de coexistence de deux langues.

Les limites des États sont indiquées par un trait continu ( —— ).

Cette carte ne mentionne pas les minorités non-territoriales (travailleurs immigrés, réfugiés, Tsiganes et voyageurs).

*Légende:*

anglais
anglais, gaélique écossais
anglais, irlandais
anglais, gallois
к cornique

français
français, breton
français, néerlandais
français, allemand (alemanique, francique)
français, corse
français, occitan
français, catalan
français, basque

portugais
portugais, espagnol
espagnol
espagnol, galicien
espagnol, basque
espagnol, catalan
espagnol, occitan

danois
allemand
allemand, danois
allemand, slovène
allemand, sorabe

luxembourgeois, allemand, français
allemand, romanche
allemand, frison
néerlandais
néerlandais, frison

italien
italien, allemand
italien, frioulan/ladin
italien, français
italien, occitan
italien, sarde
maltais, anglais
serbo-croate

slovène
slovène, italien
macédonien
bulgare
hongrois
grec
albanais

**Îlots linguistiques**
italien
c catalan
● occitan
◆ allemand
□ croate/serbo-croate
bulgare et bulgaro macédonien
■ roumain (aroumain, valaque, méglénoroumain)
▽ grec
▲ albanais
— tchèque
slovaque
turc
hongrois
U ukrainien

500 km

**BILAN**                                                ■49

[cassette] 1. Écoutez et répondez.

**2. Vous vous présentez et vous présentez votre pays ou votre entreprise.**

Je m'appelle ...
Je suis ...
Je parle ...
Mon pays ...
Nous ...
Notre ...
Nous avons ...

**3. Vous posez le maximum de questions à un étranger/une étrangère qui répond, puis vous interroge à son tour.**

**4. Les langues européennes. Commentez la carte.**

**5. Vous écrivez une présentation de l'Europe, ou d'un autre pays en 2050...**

**6. Trouvez les questions possibles.**

– Le franc français.
– Le français et l'anglais.
– Paris.
– 56 millions.
– Si, il est à Paris, mais nous avons aussi une filiale à Londres.
– 350 au siège social, et 20 à la filiale de Rome.
– Européenne ? Non, internationale !

# 6. VOUS TRAVAILLEZ DANS QUELLE BRANCHE ?

■ 50

■ 53                                                employée

■ 54                                               commerçante

■ 55                                                ingénieur

■ 51                                                directeur

■ 52                                                médecin

## ORDRE DU JOUR

### 1. LES POSSESSIFS

| je | le, un, quel **mon** nom | la, une, quelle **ma** carte | les, des, quels/quelles **mes** clients | ma + $\begin{cases} a \\ e \\ i \end{cases} \to$ mon $\begin{cases} a \\ e \\ i \end{cases}$ |
|---|---|---|---|---|

il/elle **son** service — sa branche — **ses** agents — sa + $\begin{cases} o \\ u \\ y \end{cases} \to$ son $\begin{cases} o \\ u \\ y \end{cases}$

nous **notre** pays — **notre** langue — **nos** employés

vous **votre** bureau — **votre** monnaie — **vos** bureaux

ils/elles **leur** travail — **leur** filiale — **leurs** clients — ~~ma entreprise~~ = mon entreprise

🔘 À VOUS ! Continuez.
Société → entreprise, bureau, bureaux, agents, employés, téléphone, clients, usine, message.

### 2. UN... UNE... DES... PAS DE/D'...

| j'ai **un** bureau ici | ≠ | je n'ai **pas de** bureau ici | de + $\begin{cases} a \\ e \\ i \\ o \\ u \\ y \end{cases} \to$ | d'a d'e d'i d'o d'u d'y |
|---|---|---|---|---|
| il y a **une** entreprise | ≠ | il n'y a **pas d'**entreprise | | |
| ils ont **des** agents | ≠ | ils n'ont **pas d'**agents | | |

🔘 À VOUS ! Continuez.
Bureau → entreprise, téléphone, usine, clients, employés.

## LAPLACE & MAURIN

INFORMATIQUE ET BUREAUTIQUE
CONSEIL – LEASING

DIRECTION GÉNÉRALE
15, AVENUE CARNOT
33000 BORDEAUX
TÉL. :56 96 06 00

Bordeaux, le 30/09/9…

Note à l'attention de **Mademoiselle Évelyne Genty,**
**Service commercial**

Je vous confirme les conclusions de la réunion du 13/09. Il est très important de rencontrer M. Fradin, de la société HERMANN de Lyon, pour lui présenter notre société et nos produits avant le salon. Je vous demande donc d'aller à Lyon dès que possible.

Le Directeur général

*Y Fontaine*

Yves Fontaine

■ 56

---

Éric VERMEULEN

C.& O. Assurances
Londres

1, square des Nations
1050 BRUXELLES

■ 58

---

**TRAFER**
NOTRE ENTREPRISE
À VOTRE SERVICE :

200 bureaux en France
12 en Europe
750 employés
120 commerciaux

Nous travaillons avec SNCF,
AIR FRANCE, AIR INTER,
SWISSAIR, SABENA, LUFTHANSA.

Venez rencontrer notre agent à :

-----------------------------

■ 59

---

## POUR TÉLÉPHONER EN FRANCE MÉTROPOLITAINE, ANDORRE ET MONACO

① PROVINCE → PARIS / ÎLE-DE-FRANCE

♪ 16 ♪ 1 COMPOSEZ LE NUMÉRO
A 8 CHIFFRES

② PARIS / ÎLE-DE-FRANCE
→ PROVINCE,
→ ANDORRE ET MONACO

♪ 16 ♪ COMPOSEZ LE NUMÉRO
A 8 CHIFFRES

③ PROVINCE → PROVINCE,
→ ANDORRE ET MONACO

♪ COMPOSEZ LE NUMÉRO A 8 CHIFFRES

④ A l'INTÉRIEUR DE PARIS / ÎLE-DE-FRANCE

♪ COMPOSEZ LE NUMÉRO A 8 CHIFFRES

■ 57

---

■ 60

## SCÉNARIO TYPE : QUESTIONS À UN ÉTRANGER

Vous n'êtes pas d'ici ?
Vous êtes étranger ?
Vous faites du tourisme ?
Vous venez souvent ici ?
Vous êtes ici pour votre travail ?
Vous travaillez dans quelle branche ?
Vous travaillez pour quelle entreprise ?
Quelle est votre profession ?

Je suis de ...
Je suis (allemand/italien...)
Je suis ici pour mon travail.
Je suis touriste.
Je travaille dans ...
Je travaille pour/chez ...
Mon entreprise ...
Je suis secrétaire ...

## SCÉNARIO TYPE : DEMANDE DE RENCONTRE AU TÉLÉPHONE

Je voudrais vous rencontrer s'il vous plaît.
Je pourrais vous rencontrer ?
Je travaille pour ... et ...
Je voudrais vous présenter ...
Je voudrais vous parler de ...

C'est à quel sujet ?
Pourquoi ?
Entendu/D'accord
Venez ...
Vous pouvez venir ...

venez ? → voir verbe VENIR page 128

date et heure ? DOSSIER 7 page 33

## SCÉNARIO 1

🔊 M. Marchetti parle avec son voisin, M. Vermeulen.
À VOUS ! Jouez la conversation puis continuez-la :
Et vous, quelle est votre nationalité ?

## SCÉNARIO 2

🔊

À VOUS !
• Mme Gagnaire est à Marseille, M. Marchetti a composé quel numéro ? (Voir document 57.)
• M. Vermeulen téléphone aussi à Mme Gagnaire pour lui présenter sa société. Il est à Paris. Il compose quel numéro ? (Voir document 57.) Jouez la conversation.

## SCÉNARIO 3

🔊

– Notre entreprise s'appelle GONDRAND S.A. et a son siège ici, mais nous avons deux usines : une à Strasbourg et une à Lille, et nous avons des bureaux à Lyon, Bordeaux, et ...
– Vous n'avez pas de bureau en Italie ?
– Euh... non. Nous avons des clients en Angleterre, en Belgique, aux ...
– Vous n'avez pas de clients en Italie ?
– Non... Nous avons 2 300 employés et des agents commerciaux dans trois pays : Pays-Bas, Angleterre et Belgique... ET NOUS N'AVONS PAS D'AGENTS COMMERCIAUX EN ITALIE ! ... Nous travaillons avec des sociétés françaises et internationales : ITC, DELTA, GRONING & UHLMANN, FRANCE-DEM, vous connaissez ?
– Oui ... Et vous ne tr...
– Non !
– Non ? Bon ! ...

À VOUS !
• Jouez la conversation en complétant les phrases incomplètes.
• Écrivez, comme pour la société TRAFER (document 59) la présentation de la société GONDRAND. Vous êtes le responsable des relations publiques.
• Vous travaillez à la société TRAFER. Vous la présentez à quelqu'un.

Évelyne Genty

# BILAN

🎞️ 1. Dans l'avion. Écoutez et remplissez la carte de visite d'Évelyne Genty.

2. Évelyne Genty parle avec sa voisine dans le bus. Complétez la conversation ci-contre.

3. Vous faites quels numéros ?
• **Vous êtes à Paris :**
– vous voulez téléphoner à la société Laplace et Maurin à Bordeaux ;
– vous voulez téléphoner aux éditions du Lion à Paris (dossier 3).

• **Vous êtes à Lyon :**
– vous voulez téléphoner à la société Laplace et Maurin à Bordeaux ;
– vous voulez téléphoner aux éditions du Lion à Paris.

4. Au Salon international de la bureautique, Éric Vermeulen, Paloma Fernandez de la société ESPADA de Madrid, Évelyne Genty et Paolo Marchetti se rencontrent au restaurant. Ils se présentent et parlent de leur travail. (À jouer à quatre.)

5. Trouvez les questions possibles.
– Dans le commerce international.
– C'est à quel sujet ?
– Non, pas à Paris. Le siège est à Rome.
– Oui, très souvent.
– Je suis française.
– Si, nous avons des clients en Autriche !
– Dans le service des relations internationales.

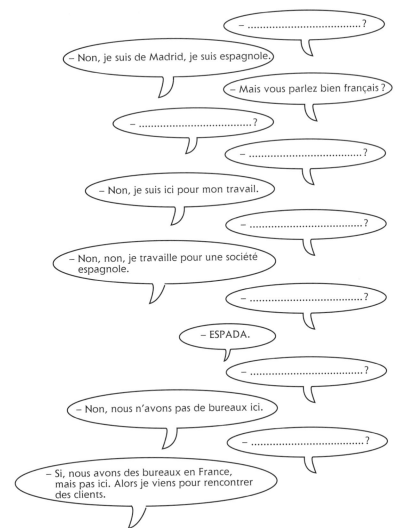

– .............................................?

– Non, je suis de Madrid, je suis espagnole.

– Mais vous parlez bien français ?

– .............................................?

– .............................................?

– Non, je suis ici pour mon travail.

– .............................................?

– Non, non, je travaille pour une société espagnole.

– .............................................?

– ESPADA.

– .............................................?

– Non, nous n'avons pas de bureaux ici.

– .............................................?

– Si, nous avons des bureaux en France, mais pas ici. Alors je viens pour rencontrer des clients.

■61

# PAUSE

## À DIRE

1. Vous êtes représentant chez KERT Ltd. Vous voulez un rendez-vous avec le directeur commercial d'OMNI-PLASTIQUES : M. Guindon. Vous téléphonez de Londres. Il n'est pas là et vous parlez avec sa secrétaire.

2. À l'accueil d'OMNIPLASTIQUES. Vous êtes le représentant de KERT Ltd. Vous vous présentez et dites qui vous cherchez. L'hôtesse a une fiche et la remplit.

3. Elle téléphone à M. J.-C. Guindon. Il est là.

4. M. Guindon (que vous ne connaissez pas encore) vient à l'accueil vous chercher. Il y a du bruit, et il entend mal.

5. Dans le bureau de M. Guindon. Vous parlez ensemble de votre entreprise.

■ 64

## OMNIPLASTIQUES S.A.

25, rue d'Aubervilliers
92500 COURBEVOIE
Tél. 47 05 90 81 – Télécopie : 47 05 91 75

Note à l'attention de Jean-Charles Guindon

Je vous confirme votre rendez-vous avec le représentant de la SARL anglaise Kert, le 11/02 à 11h, pour nous présenter sa société et ses produits.

■ 62

■ 63

DATE : le

NOM :

PRÉNOM :

SOCIÉTÉ :

a rendez-vous avec :

.................................................

.................................................

■ 65

# À ÉCRIRE

## 1. Chassez l'intrus (trois intrus par série).

**Profession :**
un secrétaire, un prénom, une employée, un directeur,
un ingénieur, un médecin, une cliente,
une commerçante, une technicienne, un renseignement,
un agent commercial.

**Verbes :**
être, avoir, étranger, parler, venir, nombre, prendre,
téléphone.

**Branche :**
la chimie, la croissance, l'informatique, la superficie,
les assurances, le tourisme, le partenaire.

**Oui :**
si, moi, bien sûr, entendu, d'accord, désolé, ça, je vous
en prie.

**Adjectifs :**
dynamique, officielle, allemande, commerce, province,
importante, étrangère, personne, heureuse.

**Société :**
une année, un siège social, une usine, un bureau,
un service, une filiale, un point de vente, un trait
d'union, une entreprise, un instant.

## 2. Qu'est-ce que c'est ? Écrivez en toutes lettres.

un P.-D.G. : ...............................................................
la C.E. : ...............................................................
l'O.M.S. : ...............................................................
le C.A. : ...............................................................
S.V.P. : ...............................................................

## 3. Complétez le dialogue de sourds.

a) Je m'appelle Mme Z
– Pardon ? Vous  ...  ...      comment ?

b) Je suis Mme Z
– Pardon ? Vous  ...      qui ?

c) Je travaille chez Olivetti
– Pardon ? Vous  ...      chez qui ?

d) Nous produisons des téléphones
– Pardon ? Vous  ...      quoi ?

e) Je cherche M. X
– Pardon ? Vous  ...      qui ?

f) Je peux lui laisser un message ?
– Pardon ? Vous  ...  ...      quoi ?

g) Vous parlez français ?
– Pardon ? Vous  ...      quoi ?

h) Vous comprenez ?
– Non, désolé, je ne ... pas très bien.

## 4. Quel désordre ! Remettez les mots de ces phrases en ordre.

a) de - combien - vous - clients - avez ?

b) votre - téléphone - quel - numéro - de - est ?

c) sujet - quel - à - est - c' - ?

d) n' - nous - de - pas - Italie - en - avons - clients.

e) il - employés - a - à - social - 300 - y - siège - notre.

f) mais - message - peux - non - prendre - je - un.

## 5. Écrivez huit mots ou expressions en rapport avec :

le téléphone : ................................................

........................................................

une 1<sup>re</sup> rencontre : ................................

........................................................

## 6. Tourisme intensif? Complétez.

Je vais ... Belgique. La ... de la Belgique est Bruxelles. C'est une ... importante d'un million d' ... . La ... belge est le BEP (franc belge). Ensuite, je vais ... Danemark : bonjour, Copenhague ! ... et au revoir : je vais ensuite ... Portugal et je ... des clients à Porto et à Lisbonne. Ensuite, je vais ... Pays-Bas (à La Haye et à Rotterdam), ... Grèce (à Salonique et au Pirée), et ... Autriche (à Vienne) ... . Mais, officiellement, ce n'est pas du tourisme : je ... un ingénieur commercial dynamique, et je ... dans une société internationale. Vous voulez ma ... de visite ?

## 7. Carte de visite. Complétez avec un adjectif possessif.

... nom ? Monique Dupont. ... profession ? Ingénieur commercial. ... branche ? L'informatique. ... entreprise ? La Société Laplace. ... chiffre d'affaires ? 60 millions de F. ... clients ? Des Européens, bien sûr ! ... nationalité ? Française. ... adresse ? Paris. ... numéro de téléphone ?

## 8. Trouvez le bon verbe et écrivez-le.

a) Je vous ... M. Dupuis, notre directeur.
b) Vous ... répéter, s'il vous plaît ?
c) Ils ... ingénieurs chez Ciba-Geigy.
d) Nous ... rencontrer Mme la directrice ?
e) Elles ... bien français !
f) Vous ... combien de filiales, chez Ciba ?
g) Je ... chez Ciba, à Bâle, en Suisse.
h) Elle ... française.
i) Ça s'... comment ?

# À LIRE

## Géographie en français

Vous travaillez dans une société internationale, vous avez des clients dans toute l'Europe, et vous connaissez bien les villes européennes. Vous connaissez leur nom en allemand, ou en italien, ou en russe, ou en une autre langue ... mais peut-être pas en français. Voici un petit test : quelles sont ces villes (dans votre langue) ?

**– Villes sur le Rhin :**
Bâle, Mayence, Coblence, Cologne, Nimègue. (D'autres villes suisses : Berne, Lucerne et Constance. D'autres villes allemandes : Hanovre, Francfort et Aix-la-Chapelle.)

**– Villes sur le Pô :**
Turin, Plaisance, Crémone, Mantoue et Ferrare. (D'autres villes italiennes : Milan, Florence, Venise et Rome.)

**– Villes sur le Danube :**
Vienne, Budapest et Belgrade.

**– Villes sur la Vistule :**
Cracovie et Varsovie.

Il y a aussi d'autres villes avec un nom français, en Europe (Anvers, par exemple), mais la plupart des villes européennes n'ont pas un nom spécial en français. Ça s'écrit dans la langue du pays ... mais ça se prononce à la française.

## Vous travaillez dans quelle branche ?

– Allô ! ... Pardon ? Comment ça s'écrit ... Oui, S.K.R.U.N.C.H.E accent grave ... Vous voulez rencontrer qui ? Excusez-moi, je ne comprends pas. Vous pouvez épeler, s'il vous plaît ? ... Ah, vous voulez rencontrer M. Villebois-Pinte ? C'est à quel sujet ? ... Ne quittez pas ... Oh, je suis désolée, monsieur, mais monsieur le directeur n'est pas à Paris, il est à l'usine de Villiers. ... le rappeler ? Il peut vous rappeler, lui. Je peux prendre un message ? ... Je répète : « M. Skrunchè, de chez Philips, est à Paris et voudrait le rencontrer. C'est important ». C'est bien ça ? ... Vous avez un numéro de téléphone à Paris ? ... Le 40 39 76 89 ? ... Entendu, monsieur, et bienvenue à Paris ! ... Vous êtes hollandais ? ... Ah non ? Mais vous parlez très bien français ! ... Si, si ! ... Non, je suis son assistante ... Bien sûr, j'habite à Paris. ... Mon numéro de téléphone ? ... Comment ? Me rencontrer moi aussi ? ... Mais vous êtes dans quelle branche, vous ?

# 7. VOUS AVEZ RENDEZ-VOUS QUAND ?

## PLANNING 199☐

| JANVIER | FÉVRIER | MARS | AVRIL | MAI | JUIN |
|---|---|---|---|---|---|
| Jour de l'an<br><br>*Présenter bilan* | *À Amsterdam<br>"<br>"<br>"<br>"* | *Salon à Paris* | *Formation management* | | *Séminaire culture d'entreprise* |
| **JUILLET** | **AOÛT** | **SEPTEMBRE** | **OCTOBRE** | **NOVEMBRE** | **DÉCEMBRE** |
| | *congé* | *lancement campagne publicitaire* | | | Noël |

■66

## ORDRE DU JOUR

### 1. À QUELLE HEURE ?

moins cinq — cinq
moins dix — dix
moins le quart — et quart
moins vingt — vingt
moins vingt-cinq — vingt-cinq
et demie

... **à** trois heures
... **à** dix heures et quart
... **avant** deux heures
... **après** cinq heures
... **entre** onze heures **et** midi

06 :00 = 6 heures du matin    12 :00 = midi    0 :00 = minuit
18 :00 = 6 heures du soir ou 18 heures

▭▭ À VOUS ! Écoutez et continuez.

### 2. À QUELLE DATE ? QUEL JOUR ? QUAND ?

Le lundi 12 février 1994.          Après le 16 avril.
Le 18 mars.          Entre le 15 et le 17 septembre.

| Téléphoner | Ecrire | Voir | Semaine du 4 Octobre au 10 Octobre | 40ᵉ |
| --- | --- | --- | --- | --- |

40ᵉ Sem.

| LUNDI OCTOBRE **4** | MARDI OCTOBRE **5** | MERCREDI OCTOBRE **6** | JEUDI OCTOBRE **7** | VENDREDI OCTOBRE **8** | SAMEDI OCTOBRE **9** | **NOTES** |
| --- | --- | --- | --- | --- | --- | --- |
| S. Fr. d'Assise 277-88 | Sᵉ Fleur 278-87 | S. Bruno 279-86 | S. Serge 280-85 | Sᵉ Pélagie 281-84 | S. Denis 282-83 | |

**LUNDI 4 OCTOBRE**
9 Réunion
10 direction
14–15–16 Réunion bilan

**MARDI 5 OCTOBRE**
16 Prendre R.V
17 avec Mme Hérin
18 tél. au Crédit
19 Mutuel.

**MERCREDI 6 OCTOBRE**
10 M. Oriste
15 Séminaire
16 marketing

**JEUDI 7 OCTOBRE**
9 Visite
10 atelier
11 D F C
14–15 Conférence Téléphonique avec Amsterdam
16–17 Rencontre avec Syndicat

**VENDREDI 8 OCTOBRE**
9 Réunion
10 directeur +
11 chef service E
14 Visite contrôle
15 sécurité
16 jusqu'à 15h

| DIMANCHE **10** OCTOBRE |
| --- |
| Matinée    S. Ghislain    283-82 |
| Après-midi    anniversaire Sandrine |
| Soirée |

■67

```
MAGASIN ÉCO
OUVERT de 9 h à 12 h
et de 14 h à 19 h
FERMÉ LE LUNDI
```

■68

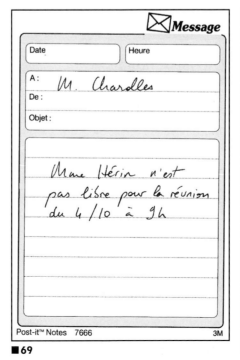

✉ **Message**

Date | Heure

A : M. Charolles
De :
Objet :

Mme Hérin n'est pas libre pour la réunion du 4/10 à 9h

Post-it™ Notes 7666    3M

■69

✉ **Message**

Date | Heure

A : M. Charolles
De :
Objet :

M. Lucas de Tréfinor voudrait vous rencontrer entre 17 et 18h le 5/10

Post-it™ Notes 7666    3M

■70

## SCÉNARIO TYPE : PRENDRE RENDEZ-VOUS

Je voudrais (avoir) un rendez-vous avec M./Mme .../vous.
Je pourrais avoir un rendez-vous avec M./Mme .../vous ?
Je voudrais vous rencontrer.
Je voudrais rencontrer M./Mme ...

Le (date) à (heure), c'est possible ?
Est-ce que vous êtes libre le (date) à (heure) ?
Est-ce que M./Mme ... est libre le (date) à (heure) ?
Après deux heures, ça va ?

Pour quand ?
Vous voulez/pouvez venir quand ?
Quand voulez/pouvez-vous venir ?
Quel jour ?
À quelle heure ?

Le (date) à (heure) ? ...
Ça va très bien/Oui/C'est possible.
Non/désolé, ce n'est pas possible.
Je suis occupé/M./Mme ... est occupé(e).
Je ne suis pas libre.
M./Mme ... est en congé du 15 au 19.
Alors, le (date) à (heure),
(c'est) entendu.
C'est à quel nom ?
Vous êtes M./Mme ... ?

---

# Tréfinor

12, rue des Remparts – 14000 Caen
Tél. : 31 93 50 76

Réf. RP/MTR/9□.89

à Monsieur GONTHIER
Banque Lyonnaise de l'Industrie
23, quai Augagneur
69004 Lyon

Caen, le 20 septembre 199□

OBJET : Notre rencontre avec M. Charolles

Je suis d'accord pour rencontrer avec vous M. Charolles, directeur du service commercial de la banque Fréval. Je serai à Lyon la semaine du 4 au 8 octobre, et je serai libre le matin du 4, et le 8 entre 14 et 16 h 30. Merci de bien vouloir prendre rendez-vous au plus tôt, mon emploi du temps étant très chargé.

■71

---

## Banque Fréval

Siège social : 45, boulevard des Italiens – 75009 Paris
Téléphone : 43 48 75 84 – Télécopie : 43 48 76 00

### NOTE DE SERVICE DU 24/9/199□

La Direction informe le personnel du service commercial que la réunion pour le bilan mensuel aura lieu le 4 octobre de neuf à dix heures dans la grande salle de réunion.

La Direction

■72

---

## SCÉNARIO 1

[cassette] À VOUS ! Écoutez le répondeur téléphonique, et notez les horaires d'ouverture pour la banque FRÉVAL, puis préparez le message sur répondeur pour le magasin ÉCO (document 68).

## SCÉNARIO 2

[cassette] À VOUS ! Vous êtes la secrétaire de M. Charolles. Complétez son agenda puis écrivez un message pour l'informer du rendez-vous.

## SCÉNARIO 3

[cassette] À VOUS !
• Écoutez la conversation.
• M. Gonthier reçoit une lettre de M. R. Pérez, de la société TRÉFINOR (document 71). Il est libre aux mêmes moments que M. Pérez. Il téléphone à M. Charolles.
Jouez la conversation.
• Il demande ensuite à sa secrétaire d'appeler la secrétaire de M. Pérez. Jouez la conversation entre les deux secrétaires.
• La secrétaire de M. Pérez laisse un message à son patron pour lui dire quand il a rendez-vous.

## SCÉNARIO 4

[cassette] À VOUS !
• Écoutez la conversation.
• Vous êtes la secrétaire de M. Favier, écrivez le message.

• Quelqu'un voudrait un rendez-vous un lundi avec le directeur du magasin ÉCO. Imaginez et jouez la conversation.

• Quelqu'un voudrait un rendez-vous avec M. Charolles, du service commercial de FRÉVAL, le 4 octobre à 9 h.

## SCÉNARIO 5

M. Charolles répond par fax aux messages (documents 69 et 70).
a) Il refuse (document 70).
b) Il propose une autre date et une autre heure (document 69).

## BILAN

**1.** Lundi 4 octobre. Vous êtes en France. Vous téléphonez à un restaurant (voir document 88). Vous entendez un message sur répondeur. Imaginez le message.

**2.** Hélène Levin téléphone à Gérard Charolles pour un rendez-vous. Complétez la conversation ci-contre.

**3.** Juste après, Hélène Levin trouve un fax sur son bureau (document 75).

Elle répond par fax.

**4.** • Imaginez l'agenda (une semaine) de deux Français très occupés : Brigitte Desroches et Jean-Pierre Lepage.
• Ils cherchent un jour pour une réunion de deux heures. Jouez la conversation d'après leurs agendas.

**5.** Un Français vous interroge sur les horaires des bureaux et magasins dans votre pays, ou sur vos horaires.

**6.** Trouvez les questions possibles :

– Si, de midi à 1 heure.
– Non, désolé, je suis occupé.
– Non, je ne suis pas libre le 12 mars.
– Ce n'est pas possible avant 5 h.
– Bien sûr, ils sont ouverts !
– En juin, et une semaine en hiver.

– .............................................. ?
– .............................................. ?
– .............................................. ?

– .............................................. ?
– .............................................. ?
– .............................................. ?

■73

– Quel jour ?
– Non, désolé, je ne suis pas libre.
– Non, je n'ai pas de réunion, mais je suis occupé.
– Si, le samedi matin.
– D'accord, samedi 9, avant 11 h.
– Ça va très bien.

■74

```
POSTE APPELE: PAS D'IDENTITE   1973-06-06   07:20   63-96 F   BIEN RECU #3
Fax émis par : 33 72 07 90 49        M A F P E N       A4->A4  06/07/93  08:18   Pg:   4
```

Jeanne Debard
Fax 72 07 90 49

à Hélène Levin

Réunion du Club Samedi 9 Octobre
entre 9ʰ et 11ʰ. D'accord ?
A bientôt,

J. Debard.

■75

# 8. HORAIRES DE TRAVAIL

**■76**

**■77**

**■78**

## ORDRE DU JOUR

### 1. SOUVENT OU PAS SOUVENT ?

| | |
|---|---|
| très souvent | \|\|\|\|\|\|\|\|\|\|\|\|\| |
| souvent | \| \| \| \| \| \| \| |
| pas souvent/quelquefois | \| \| \| |
| jamais | |

tous les jours, tous les mois, tous les ans, toutes les semaines, toutes les heures...
(le → tous les...   la → toutes les...)
chaque jour = tous les jours
une/deux... fois par jour/mois/semaine/an...

Je ne vais jamais au restaurant
Je ne visite jamais de salon

vais ? → voir verbe ALLER page 127

🔲 À VOUS ! Continuez avec :
Vous allez au restaurant → vous avez des réunions, il y a des rencontres...

### 2. BEAUCOUP ?

| | | |
|---|---|---|
| Je travaille... | un peu | + |
| | beaucoup | + + + |
| Je ne travaille... | pas beaucoup | – |
| | pas du tout | 0 |

🔲 À VOUS ! Continuez.
Téléphoner, parler...

### 3. NE... RIEN

Il ne travaille pas du tout = il ne fait rien

### 4. COMBIEN DE TEMPS ?

Ça dure combien de temps ?
– longtemps ;
– de 4 à 6 heures/de 14 à 18 heures ;
– deux heures ;
– pendant deux heures.

🔲 À VOUS ! Continuez.
Réunion → salon, rencontre, visite...

> **POUR INFORMATION :**
> **LES HORAIRES DE TRAVAIL**
>
> ■ Les Français travaillent 39 heures par semaine.
> ■ Dans les grandes villes, ils font une pause de 45 min à 1 heure pour le déjeuner. Dans les petites villes et à la campagne, ils font la journée traditionnelle : 8 h-midi / 14 h-18 h.

CE N'EST PAS TOUS LES JOURS LA FOIRE DE PARIS C'EST DU 29 AVRIL AU 9 MAI 93

FOIRE DE PARIS

NOCTURNES JUSQU'À 22 h, LE 30 AVRIL, LE 4 MAI ET LE 7 MAI

PORTE DE VERSAILLES. TOUS LES JOURS DE 10 H A 19 H

■79

■80

| OUVERT 24 H SUR 24 |
| 7 JOURS SUR 7 |

■81

**SASPA & AGRI-SUD-EST**
ouvert du lundi au vendredi
de 8 h à 18 h
ouvert tous les jours
du 15 mars au 15 juin

## SCÉNARIO TYPE : RYTHMES DE TRAVAIL

| | |
|---|---|
| Quel est votre horaire de travail ? | Je travaille à { plein temps/mi-temps / temps complet/temps partiel |
| | De 9 heures à 18 heures. |
| Quel est l'horaire d'ouverture ? | Du lundi au vendredi de 10 heures à 19 heures. |
| C'est ouvert de quand à quand ? | Du 16 janvier au 12 février. |
| La réunion dure combien de temps ? | Une heure et demie. |
| La foire a lieu souvent ? | Tous les deux ans. |
| Elle dure longtemps ? | Ça dure une semaine. |
| Vous restez toujours au bureau ? | Tous les mois pendant une semaine. |
| Vous voyagez beaucoup/souvent ? | Je ne voyage jamais./Je ne reste jamais longtemps au bureau. |

---

## INFORMATIQUE ET TECHNIQUES COMMERCIALES

116, avenue Th. Braun
69400 VILLEFRANCHE / SAÔNE
Tél. 74 56 75 00
Télécopie : 74 56 75 15

NOTE DE SERVICE
DU 1/03/9☐

Objet : Nouvel horaire à partir du 15/03/9☐

– Ouverture du magasin : tous les jours de 10 h à 17 h
– Horaire du personnel : de 9 h à 17 h 30, du lundi au vendredi, ou du mardi au samedi
– Pause de midi : (durée 45 minutes), entre 11 h 30 et 13 h 30.

La Direction

■82

## SCÉNARIO 1

– Vous travaillez où ?
– Je travaille chez ITC.
– Ah ! Vous travaillez chez ITC ! Enfin vous travaillez... vous êtes chez ITC, quoi !
– Pardon ?
– Je dis : vous êtes chez ITC...
– Pourquoi vous dites ça ?
– Parce que vous ne travaillez pas beaucoup chez ITC !
– Comment ça, on ne travaille pas beaucoup ?
– Non, vous ne faites rien : c'est ouvert...

## À VOUS !

• Écoutez la suite de la conversation et écrivez les horaires d'ITC (horaire d'ouverture au public et horaire du personnel – voir document 81).

• Imaginez une conversation avec une personne qui travaille chez SASPA & AGRI-SUD-EST.

---

dis, dites ? → voir verbe DIRE p. 127.
faites ? → voir verbe FAIRE p. 127.

## SCÉNARIO 2

🔲 À VOUS !

• Écoutez Mme Hulot qui parle de sa semaine de travail. Vous travaillez avec elle, quelqu'un vous téléphone pour savoir quand on peut l'appeler. Répondez-lui.

## SCÉNARIO 3

À VOUS !
Le personnel d'ITC reçoit une note de service (document 82).
• Revoyez le scénario 1 et corrigez les horaires.
• Imaginez une nouvelle conversation.

## SCÉNARIO 4

🔲 À VOUS ! Vous travaillez pour le Salon international de la bureautique, vous écrivez une plaquette publicitaire.

# BILAN

## 1. Ils parlent de quoi ?

– Elle est ouverte du lundi au vendredi, de neuf heures à dix-huit heures.
– Ils sont nouveaux : nous faisons la journée continue.

– Elle ne dure pas longtemps : une demi-heure entre midi et deux heures.
– Elle est grande : 2 000 employés.
– Je travaille à mi-temps.

## 2. Vous avez reçu cette note. Expliquez à un collègue vos nouvelles conditions de travail.

Vos nouvelles conditions de travail :
– Quatre jours par semaine à Paris, à la direction. Journée continue.
– Le cinquième jour : à la filiale de Bordeaux ou du Havre. Une fois par mois, réunion au siège international de Rotterdam avec les directeurs financiers des autres filiales étrangères.
– Deux fois par an (juin/déc.), une semaine (budget, planification, etc.) au siège de Rotterdam.

## 3. Décrivez des conditions de travail et dites pourquoi elles sont idéales pour vous.

## 4. Trouvez les questions possibles.

– Oui, tous les jours.
– Quarante heures, bien sûr.
– Non, je reste toujours à la direction à Bordeaux.
– Parce que je n'aime pas le travail de bureau.

– Non, jamais.
– Vingt minutes à midi.
– Je la visite chaque année.

## 5. Trouvez des réponses... pour ne pas répondre.

– Vous allez au restaurant pour le déjeuner ?
– Vous allez à la campagne dimanche ?

# 9. LE SÉMINAIRE A LIEU QUAND ?

## ORDRE DU JOUR

### 1. QUAND ?

| | ☀ le matin | 🌅 l'après-midi | 🌙 le soir | 🌙☀ la nuit | Les adjectifs démonstratifs |
|---|---|---|---|---|---|
| aujourd'hui demain après-demain | ce matin demain matin ... | cet après-midi demain après-midi ... | ce soir demain soir ... | cette nuit dans la nuit de demain à après-demain | le → ce l' → cet la, l' → cette les → ces |
| lundi | lundi matin | lundi après-midi | lundi soir | dans la nuit de lundi à mardi | |

NB : le matin, le soir = tous les matins, tous les soirs = chaque matin, chaque soir

maintenant... tout à l'heure... bientôt... demain... la semaine prochaine... dans deux semaines... le mois prochain... dans trois mois... l'année prochaine... dans vingt ans...

🔊 À VOUS ! **Continuez :** matin → après-midi, soir, nuit.
Vous travaillez → vous avez des réunions, il y a des rencontres.

### 2. LE FUTUR PROCHE (ALLER + INFINITIF)

– Vous téléphonez quand ?
– Je **téléphone** demain = je vais téléphoner demain.

🔊 À VOUS ! **Continuez :**
il → elle, je, vous, ils
téléphoner → laisser un message, organiser une réunion, faire le programme, etc.

### 3. LES PRONOMS LE, LA, L', LES

– Vous connaissez le programme ? — – Oui, je le connais bien. (le = le programme)

– Vous faites la lettre quand ? — – Je la fais demain. (la = la lettre)
– Vous avez les messages ? — – Oui, je les ai. (les = les messages)

NB : le, la + a, e, i, o, u, y → l'
– Vous avez le numéro ? → – Oui, je l'ai. (l' = le = le numéro)
– Négation : Il l'appelle → Il ne l'appelle jamais.
– Infinitif : Je le fais → Je peux le faire.
– Futur proche : Il l'appelle → Il va l'appeler.

SOCIÉTÉ

158, rue Saint-Charles – 75015 Paris     Tél. 43 35 75 11 – Fax. 43 35 54 43

Paris, le 14/05/9☐

**Destinataires :** MM. les chefs de service
                   Affichage

**Objet :** Réunion de préparation des stages de 199☐

La réunion de préparation des stages 9☐ est fixée au 19/05
à 17 h en salle de réunion.

M. Velay

■84

■86

## SCÉNARIO TYPE : C'EST POUR QUAND ?

Le.../la... a lieu quand ?
Vous pouvez faire ça pour quand ?
Vous avez le temps de...
(+ infinitif) ?
Vous pouvez... (+ infinitif) ?

Ce soir/demain soir/cette semaine/
la semaine prochaine/dans six mois...
Désolé, je n'ai pas le temps.
Oui, bien sûr/Entendu.
Je ne peux pas cette semaine.
Je vais le faire demain.
Non, désolé.

## SCÉNARIO 1

🔲

– Nous sommes prêts pour le congrès ?
– Le congrès ? Il a lieu quand ?
– Dans deux mois, non ?
– Quand exactement ?
– Du 15 au 18 juin.
– Bon, on a le temps, mais il faut faire une réunion pour le préparer.
– Euh ! oui. On peut la faire cette semaine, non ?
– D'accord, Berger, vous pouvez l'organiser ?
– Euh... désolé, mais je ne suis pas là demain et après-demain.
– Bon, alors Moussard ?
– Entendu.

**À VOUS !**
• Vous êtes Moussard. Vous appelez un collègue pour l'inviter à la réunion.
• Vous faites une note pour annoncer la réunion (voir documents 84 et 85).

## SCÉNARIO 2

🔲

– Janvel, vous êtes libre demain ?
– Pourquoi ?
– Pour préparer le séminaire.
– Quel séminaire ?
– Communication et motivation.
– Euh... je n'ai pas beaucoup de temps demain...
– Mais c'est urgent : le séminaire a lieu...

**À VOUS !** Continuez la conversation.
a) Janvel accepte.
b) Janvel refuse.

## SCÉNARIO 3

– Vous avez le programme du congrès ?
– Oui,
– Qu'est-ce qu'on va faire demain ?
– Demain matin ?
– Oui.
– À neuf heures...

**À VOUS !** Continuez la conversation.
(Regardez le document 86.)

---

**CONGRÈS INTERNATIONAL
DE RECHERCHE EN ROBOTIQUE**

**PROGRAMME**

Vendredi 14 mai
– 9 h     Présentation du congrès par le Docteur Massimo (Sapienza, Rome).
– 10 h    Intervention de M. Grassmann (H.&U., Berlin).
– 11 h    Intervention de M. Nyberg (Skv-Malmö).
– 12 h 30 Repas.
– 14 h 30 Visite des laboratoires Juquier S.A.
– 17 h    Intervention de M. Charpentier (INSA, Lyon).
– 19 h    Apéritif.
– 19 h 30 Repas à l'Hôtel de Ville.
– 22 h    Soirée de gala.

Samedi 15 mai
– 9 h 30 Perspectives pour les trois prochaines années, table ronde avec Alain Berteau, rédacteur de la rubrique scientifique du journal *Le Monde*.
– 10 h 30 Clôture : allocution du Professeur Granger (I.T.I., Canada).
– 12 h    Fin.

**Message**

Date *jeudi*　　Heure *9 h 15*

A :

De : *Mme Duport*

Objet :

*Elle va venir*

Post-it™ Notes　7666

3M

■87

## BILAN

**1. Ils parlent de quoi ?**

– Je les prends le mois prochain, sur la Côte d'Azur.
– Je la télécopie tout à l'heure : elle est urgente.
– Il les prend toujours au restaurant de l'entreprise.
– Elle n'est pas très grande, mais peu d'employés vont venir à cette réunion.
– Pour le séminaire ? Nous allons le préparer demain matin.

**2. Sur votre bureau, il y a un message imprécis (document 87). Vous parlez avec votre secrétaire.**

– ...
– Jeudi.
– ...
– Non, pas ce jeudi.
– ...
– Après-midi.
– ...
– À 14 heures.
– ...
– C'est pour préparer le programme du séminaire.
– ...
– Non, elle n'a pas le temps demain.
– ...

**3. Vous téléphonez à quelqu'un. Il n'est pas là. Vous expliquez pourquoi vous téléphonez et quand il peut vous rappeler (c'est un peu compliqué).**

**4. •** Expliquez à quel séminaire/stage/congrès/salon vous allez aller bientôt et pourquoi.

**•** Proposez un programme de congrès pour les étudiants de français de votre groupe. Ce congrès commence demain matin.

**5. Trouvez les questions possibles.**

– La réunion a lieu cet après-midi.
– Non, tout n'est pas prêt.
– Excusez-moi, je n'ai pas le temps.
– Oui, vous devez le faire maintenant.
– Dans deux semaines, exactement.
– Demain matin ? Il y a trois communications.

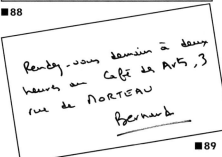

Rendez-vous demain à deux heures au Café de Art, 3 rue de MORTEAU
Bernard

■89

Point rencontre

Check point

■90

# 10. ON SE RETROUVE OÙ ?

Le Gambetta    BRASSERIE    BAR    GLACES

■91

PLACE MARTIN NADAUD    RUE GASNIER GUY

■92

## ORDRE DU JOUR

### 1. LE PRONOM Y

– Vous allez où ? – **À Paris.** – Vous **y** allez souvent ?  y = à Paris
– Vous êtes où ? – **Chez un ami.** – Ah ? Vous **y** êtes encore !  y = chez un ami
– Vous restez encore **à l'hôtel** ? – Non, je n'**y** reste pas.  y = à l'hôtel

[▭] **À VOUS !** Continuez.
Aller à Paris → être chez un ami, rester à l'hôtel, venir ici souvent...

### 2. AU, AUX, DU, DES

| | | | | | | |
|---|---|---|---|---|---|---|
| à + le | = au | – Il va au salon. | de + le | = du | – Le salon du livre. |
| à + l' | = à l' | – Elle téléphone à l'hôtel. | de + l' | = de l' | – Le téléphone de l'hôtel. |
| à + la | = à la | – Il envoie un fax à la société. | de + la | = de la | – Le fax de la société. |
| à + les | = aux | – Il écrit aux clients. | de + les | = des | – L'adresse des clients. |

[▭] **À VOUS !** Continuez :
adresse → café, musée, bureau, siège, capitale...
restaurant → commerce, industrie, journal, entreprise, Pays-Bas...

### 3. AVEC - SANS

– Il vient **avec** qui ?        – Vous êtes libre le 12 ?
– **Avec** le directeur.        – **Sans** mon agenda, je ne peux pas vous répondre.

**À VOUS !** Regardez le document 93 et trouvez d'autres slogans avec « avec » et « sans ».

■ 94

Salut Élisabeth !

Salut !

■ 95

Ça va Duval ?

Ça va.

Ouvert de 10 h à 22 h sans interruption

## 3e SALON
## DE L'AGRO-ALIMENTAIRE
## D'ORLÉANS

17-18-19 mars 1990
au Palais des Congrès

réservé aux professionnels

Entrée principale : 12, quai Saint-Charles – Entrée des exposants : 57, rue du Bac
Restaurant : 12, rue du Bac.

■ 96

# SCÉNARIO TYPE : PRENDRE RENDEZ-VOUS

Je vais aller à ... / Nous allons
à ... . Vous venez avec moi/nous ?
On y va ensemble ?
Rendez-vous/on se retrouve à ...
le (date) à (heure). D'accord ?/
Ça va ?
Je viens vous prendre à ... .Ça va ?
À demain/À ce soir/À samedi/
À tout à l'heure !/À tout de suite !

Vous y allez quand/à quelle heure ?
Vous y allez/vous y êtes maintenant ?
C'est où ? C'est à quelle adresse ?
D'accord/Avec plaisir.
Désolé, j'ai une réunion importante.
Désolé, je ne peux pas.
Allez-y sans moi.
Je ne suis pas libre/je suis occupé(e).
Je dois aller .../rester ...

dois ? → voir verbe DEVOIR p. 129

---

## SCÉNARIO 1

▭ À VOUS !
• Écrivez l'adresse du service des mines.
• Jouez une autre conversation :
Je dois aller chez DTC-FRANCE (document 97).

## SCÉNARIO 2

▭ À VOUS !
Rejouez la conversation
a) ils y vont ensemble demain ;
b) ils n'y vont pas ensemble.

## SCÉNARIO 3

Mme Molinier est directrice des ventes à ACTIMON, une entreprise d'agro-alimentaire. 17 mars 199□ : M. Hoffmann, collègue d'une filiale de Saint-Étienne, lui téléphone.

▭ À VOUS ! Après la conversation, M. Hoffmann téléphone à un autre collègue pour lui proposer d'aller aussi au Salon avec lui.

• Il s'appelle Philippe Boyer, il est représentant pour DTC-France. Il accepte.

• Philippe Boyer retrouve un fax de DTC-France du 10 mars (document 97). Il téléphone ou envoie un message à M. Hoffmann.

## SCÉNARIO 4

▭ À VOUS ! Gérard Maury a un problème. Il ne peut pas arriver à Orléans avant 16 heures, et il ne connaît pas l'adresse du Salon.

• Il téléphone, et c'est la secrétaire qui répond. Jouez la conversation et écrivez le message que la secrétaire laisse pour Philippe Boyer.

• Il téléphone, un répondeur lui répond. Il laisse un message.

---

**DTC-France**
9, rue de Verdun
BP 107
34000 MONTPELLIER CEDEX
TÉLÉPHONE : 67 92 93 41
TÉLÉCOPIE : 67 60 92 20

Montpellier, le 10 mars 199□

Le Directeur
à
M. Philippe BOYER
35, rue des Francs-Comtois
45000 ORLÉANS

Notre client, M. Gérard Maury, vient le 17 mars à Orléans pour la visite du Salon. Pouvez-vous être avec lui de 14 h à 17 h pour lui présenter nos nouveaux produits ? Merci.

■97

**≡XPOSUP**

SALON ANNUEL
DES UNIVERSITÉS
1993
LE PARTENARIAT
AVEC
LES ENTREPRISES

*Invitation personnelle*

Du Vendredi 5 au Dimanche 7 février 1993
Parc des Expositions de Paris
Porte de Versailles - Hall 5-1

■ 98

## BILAN

**1. Vous proposez un rendez-vous à un collègue (précisez le lieu et l'heure).**
a) Vous lui téléphonez.
b) Vous lui envoyez un fax.

**2. Vous téléphonez à quelqu'un pour prendre rendez-vous, il n'est pas là. Laissez un message sur son répondeur.**

**3.**  **Vous trouvez un message sur votre répondeur. Écoutez-le.**

• **Vous téléphonez pour laisser un message sur le répondeur de M. Grandjean : vous expliquez que vous n'êtes pas libre et vous proposez un autre rendez-vous. De plus, le café du Palais est fermé en ce moment.**

**4. Quelles sont les questions possibles ?**

– Avec plaisir.
– Désolé, demain, ce n'est pas possible...
– Parce que c'est important.
– Cet après-midi, à 5 heures.
– C'est 3, rue de Morteau.
– Oui, et c'est aussi un ami.

**5. Quelle est la bonne réponse ?**

1. On y va ensemble ?
*a.* Je viens vous prendre à l'hôtel.
*b.* Allez-y sans moi.
*c.* C'est place Carnot.

2. Vous allez bien ?
*a.* Au revoir.
*b.* Je vais bien.
*c.* Oui, merci. Et vous ?

3. À tout de suite !
*a.* À demain !
*b.* Sans interruption !
*c.* D'accord !

# 11. POUVEZ-VOUS ME DIRE OÙ SE TROUVE...?

## ORDRE DU JOUR

### 1. LES PRONOMS RELATIFS QUI ET OÙ

Vous connaissez l'usine **où** on fabrique ces agendas ?    où = dans cette usine
(= Vous connaissez l'usine + on **y** fabrique ces agendas)

Vous connaissez l'entreprise **qui** se trouve en face ?    qui = elle = l'entreprise
(= Vous connaissez l'entreprise + **elle** se trouve en face)

Vous connaissez ces gens **qui** parlent anglais ?    qui = ils = les gens
(= Vous connaissez ces gens + **ils** parlent anglais)

Vous connaissez cet ingénieur **qui** travaille
chez DÉCATOR ?    qui = il = cet ingénieur
(= Vous connaissez cet ingénieur + **il** travaille chez DÉCATOR)

> ce/cette/cet/ces ? → voir p. 130

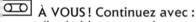 **À VOUS ! Continuez avec :**

le pays/les habitants sont heureux ; des Européens/ils parlent français et flamand ; les pays/ils ont deux langues officielles ; les villes/elles ont de un à cinq millions d'habitants ; la rue/il y a le café de l'Europe...

■99

Immeuble A    Immeuble B    Immeuble C    Immeuble D

100

### 2. OÙ SE TROUVE...?

tout droit
↑
à gauche ←——→ à droite

Le bus est **devant** la fontaine.
L'immeuble A est **à côté de** l'immeuble B.
L'immeuble B est **en face de** l'immeuble D.
L'immeuble C est **derrière** l'immeuble B.

### 3. PREMIER, DEUXIÈME... DERNIER

1$^{er}$ = premier/première ;
2$^e$ = deuxième ; 3$^e$ = troisième ;
4$^e$ = quatrième ; 5$^e$ = cinquième ;
6$^e$ = sixième ; 7$^e$ = septième ;
8$^e$ = huitième ; 9$^e$ = neuvième ;
10$^e$ = dixième ; 11$^e$ = onzième ;
12$^e$ = douzième ; 13$^e$ = treizième ; ...
20$^e$ = vingtième ;
21$^e$ = vingt et unième, ... dernier/dernière.

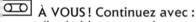 **À VOUS !** Écoutez
puis continuez.

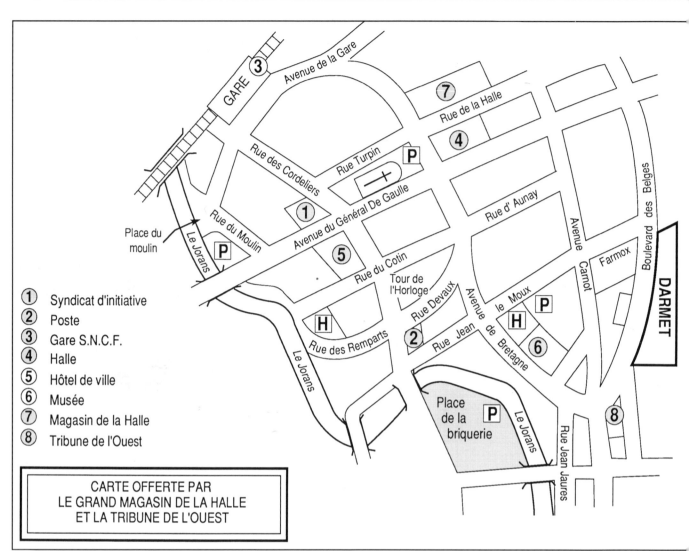

1. Syndicat d'initiative
2. Poste
3. Gare S.N.C.F.
4. Halle
5. Hôtel de ville
6. Musée
7. Magasin de la Halle
8. Tribune de l'Ouest

CARTE OFFERTE PAR
LE GRAND MAGASIN DE LA HALLE
ET LA TRIBUNE DE L'OUEST

■ 101

RESTAURANT
*du*
**MOULIN**

148, place du Moulin
Tél. : 75 56 78 79 90

*2 feux à gauche
puis
1ʳᵉ rue à droite*

■ 102

*Hôtel de France* ✳✳✳

*15, rue des Remparts*

*300 chambres
Restaurant-parking*

prendre la deuxième
rue à gauche après
le pont.

■ 103

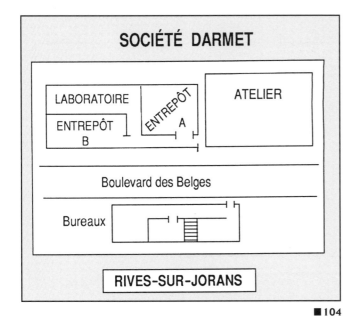

SOCIÉTÉ DARMET

LABORATOIRE

ENTREPÔT B

ENTREPÔT A

ATELIER

Boulevard des Belges

Bureaux

RIVES-SUR-JORANS

■104

# Grand Magasin de la Halle

■105

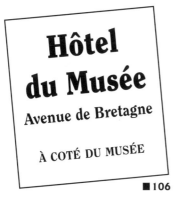

## Hôtel du Musée

Avenue de Bretagne

À COTÉ DU MUSÉE

■106

## SCÉNARIO 1

[cassette] À VOUS ! La conversation a lieu place de la Briquerie. Écoutez-la et cherchez sur le plan, document 101, les laboratoires FARMOX. Imaginez une autre conversation avec quelqu'un qui est à la gare et qui cherche l'hôtel de France.

## SCÉNARIO 2

[cassette] À VOUS !
• Écoutez la conversation.
• Imaginez une autre conversation avec quelqu'un qui est devant les bâtiments de l'usine DARMET et qui demande où se trouve la gare.

## SCÉNARIO 3

À VOUS ! Des panneaux (documents 105-106) se trouvent à l'entrée de la ville (place de la Briquerie). Complétez-les (voir documents 102-103).

## SCÉNARIO 4

[cassette] À VOUS ! Après la conversation, Mme Sérecchia propose à son visiteur d'aller voir le laboratoire de l'usine DARMET. Elle lui explique où c'est (elle ne peut pas y aller avec lui, elle a un rendez-vous). Regardez le document 104.

## SCÉNARIO TYPE : C'EST OÙ ?

Excusez-moi/pardon,
vous savez où se trouve ...?
je cherche ...
pour aller à ...?
pouvez-vous me dire où se trouve/
est ...?
C'est où/à quel endroit ?

Vous êtes d'ici ?
Vous êtes d'où ?
Où est-ce que vous habitez ?

(désolé/e) Je ne sais pas,
je ne suis pas d'ici.
L'adresse, c'est ...
C'est simple/compliqué ...
Vous prenez/traversez la rue ...
Vous prenez la première rue à
droite/gauche ...
la deuxième après le carrefour ...
Vous passez devant ...
C'est tout droit.
Vous y êtes.
C'est la première porte à droite.
C'est au deuxième étage.
Vous prenez l'escalier à gauche.

Je suis de ...
J'habite à .../en ...

POUR INFORMATION

■ ZI = Zone Industrielle dans les banlieues des villes.

## BILAN

**1. Trouvez ce qui a pu être dit avant, et ce qui peut être dit après.**

– Oui, bien sûr, j'y habite.
– Mais non, c'est tout simple !
– Désolé, je ne peux pas vous dire : je ne suis pas d'ici.
– À droite ou à gauche ?
– La rue qui va à la gare ?

**2. Trouvez toutes les manières possibles de demander votre chemin... et toutes les manières possibles de ne pas répondre.**

**3. Imaginez une conversation avec un Français qui cherche son hôtel dans votre ville.**

• Vous lui demandez d'où il est, s'il fait du tourisme.
• Vous lui expliquez comment aller à son hôtel.
• Vous lui indiquez un restaurant. Vous lui expliquez comment y aller de l'hôtel.

**4. Vous êtes dans les bureaux de la société DARMET. Vous téléphonez pour appeler un taxi pour aller aux laboratoires FARMOX.**

– Allô ! Je voudrais un taxi s'il vous plaît.
– Vous êtes où ?
– ....................
– C'est à quelle adresse ?
– ....................
– Et vous voulez aller où ?
– ....................
– Ah ah ! Très drôle !
– Pardon ? je ne comprends pas.
– ....................

**Continuez...**

LABORATOIRES
**FARMOX**

156, AVENUE CARNOT
14500 RIVES-SUR-JORANS

■ 107

ARTAXI

ARTISAN

**ARTAXI**
**un TAXI à votre service**
**24 H sur 24**
**(1) 42 41 50 50**
Réservation : (1) 42 08 64 59
**De vrais professionnels qualifiés**
**à votre disposition**

**46, r. Armand Carrel**
**75019 PARIS**

→ consultez l'Annuaire Electronique
Nom : ARTAXI
Loc : PARIS
Dépt : 75

■ 108

# 12. C'EST À DIX MINUTES EN VOITURE

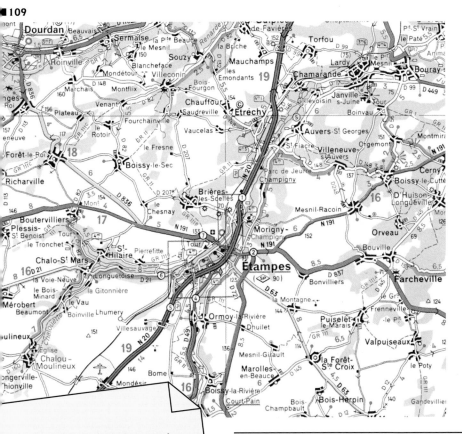

■109

Pour fêter son 10e anniversaire

**GRAND & VEYRON SA**

*vous invite à une réception le
vendredi 23 mai 199□ à 18 heures
au Château d'Étampes*

*(plan d'accès au verso)*
RSVP 45 36 78 90

## ORDRE DU JOUR

### 1. OÙ ?

NORD

OUEST ◆ EST

SUD

au nord... à l'est... au sud-ouest
au sud de Lyon, à l'ouest de Nice
loin de Bordeaux, près de Bordeaux
à dix kilomètres de Bordeaux,
aller jusqu'à Bordeaux

**À VOUS !** Regardez la carte (document 109) et posez des questions :
où est Boissy-le-Sec, au nord-ouest d'Étampes ?

### 2. QUAND ?

Avant... pendant... après le week-end
De juin jusqu'en septembre.
Dans deux semaines... dans trois mois...

### 3. PRONOMS

| je | ... me, m' | Ça m'intéresse. On me cherche. |
|---|---|---|
| elle | ... la, l' | Il ne l'appelle pas. |
| il | ... le, l' | Elle l'aime. Elle le rencontre souvent. |
| on | ... − | On est clients, alors il nous invite. |
| nous | ... nous | Il va nous informer. |
| vous | ... vous | Je veux vous inviter. Je ne vous rencontre jamais ! |
| elles ⎱ ils ⎰ | ... les | Il les cherche. Je ne les comprends pas. |

🔲🔲 **À VOUS !** Continuez.

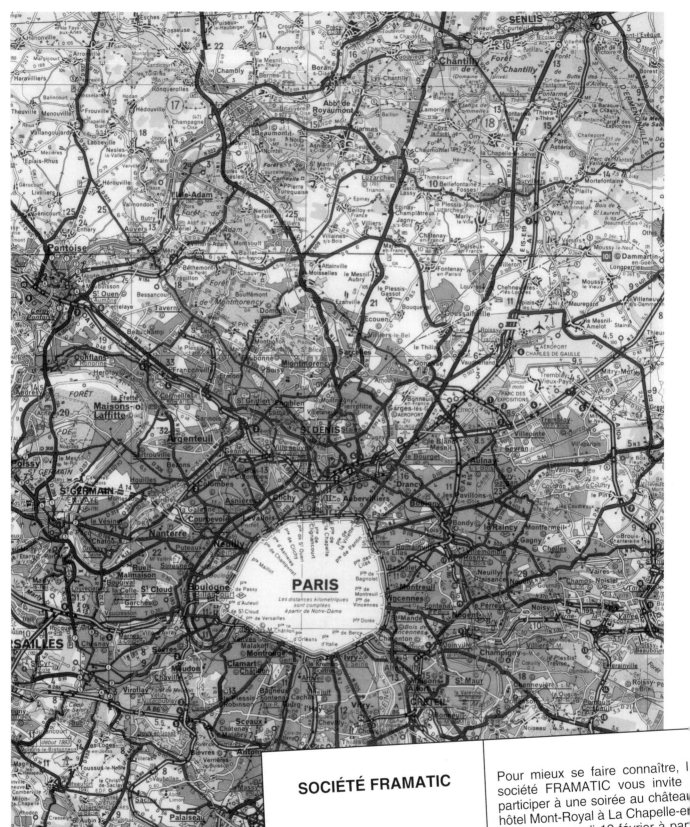

## SOCIÉTÉ FRAMATIC

Cette invitation est valable pour deux personnes.

R.S.V.P.

Pour mieux se faire connaître, l société FRAMATIC vous invite participer à une soirée au château hôtel Mont-Royal à La Chapelle-en Serval le samedi 12 février à par de vingt heures.

Dîner, spectacle, animation.

## SCÉNARIO TYPE : INVITATION

Madame BLANCHE MARTIN

st désolée mais ne
eut pas venir à votre
minaire

HUMAN-AIDE , 12, rue Tournefort
34500 BÉZIERS – Tél. : 67-76-04-26

■111

Je vous invite/je voudrais vous
inviter pour... ...
Vous voulez/pouvez venir...?
Vous êtes libre le (date) pour...?
Ça vous intéresse de...?
Vous n'oubliez pas le séminaire du 15 ?

M. et Mme... ont le plaisir de vous
inviter...                        R.S.V.P.

Vous êtes invité(e) à participer à...
qui aura lieu le... à (adresse).

(voir aussi dossier 11)
C'est dommage !
Alors, une autre fois, j'espère.

Merci beaucoup. Volontiers.
Avec plaisir. Je viens très volontiers.
C'est très sympathique.
Ça va être très agréable.

Désolé(e), je ne suis pas libre.
Je suis désolé(e), je ne peux pas y aller.

---

## anc
### assurances

Direction des Ressources Humaines
12, rue Robert-Desnos – 49000 Angers

Compte rendu de la réunion du 12/05/9□

Présents :     Mmes Forest, Granger, Decombes, MM. Badin,
             Dubois, Descharmeaux.
Absents excusés : Mme Thonin, M. Longeville.
Ordre du jour :    Séminaire de formation.

Le séminaire de formation aura lieu les 18, 19 et 20 juin 199□.
Le lieu choisi est le château Mont-Royal à La Chapelle-en-Serval.

■112

## SCÉNARIO 1

À VOUS ! Trouvez le carton correspondant à cette invitation... et trouvez l'erreur.

## SCÉNARIO 2

À VOUS ! M. Legrand de la société FRAMATIC n'a pas envoyé d'invitation à sa cliente, Mme Desgranges. Il lui téléphone pour l'inviter (voir document 110).

## SCÉNARIO 3

 À VOUS !

• Écoutez et trouvez La Chapelle-en-Serval (document 110).
• Mme Desgranges (scénario 2) ne connaît pas le chemin pour aller à La Chapelle-en-Serval. Continuez la conversation téléphonique avec M. Legrand. (Mme Desgranges travaille et habite à Pontoise.)

---

## SCÉNARIO TYPE : DEMANDER SA ROUTE

C'est à quel endroit ? C'est loin ?
On y va comment ?
Quelle est la route pour...?
Comment on fait pour aller à...?
Excusez-moi, je me suis perdu, où est...?

C'est à trois km au nord de...
C'est à deux heures par l'autoroute.
En train, c'est compliqué.
Tenez, j'ai une carte, là, regardez...
Voilà un plan pour y aller.
Vous prenez la route/l'autoroute à...,
vous allez jusqu'à..., puis vous faites
10 km en direction de... et vous y
êtes.

## BILAN

**1. Trouvez ce qui a pu être dit avant et ce qui peut être dit après.**
– Pendant toute la semaine.
– Non, il ne peut pas, il est en voyage à cette date.
– À dix minutes en voiture.
– Par l'autoroute, non, pas du tout.

**2. Qu'est-ce que vous pouvez dire/écrire ?**
Vous invitez quelqu'un.
Vous acceptez une invitation.
Vous refusez une invitation.

**3. Madame Da Silva veut rencontrer madame Genton, directrice de GENTON-ÉLECTRONIQUE.**

Elle lui téléphone de Paris. Imaginez et jouez le début de la conversation ; écoutez la suite et cherchez sur la carte où sont les bureaux de GENTON-ÉLECTRONIQUE.

■ 114

■ 115

**4. Un autre jour, madame Genton invite madame Da Silva à visiter son usine**

| Mme Da Silva | Mme Genton |
|---|---|
| – ............................................... | – Non, elle n'est pas ici. Ici ce sont les bureaux. L'usine est à la campagne. |
| – ............................................... | – Non, pas très loin. ....................... ......................... |
| – La visiter ? Mais oui, ça m'intéresse beaucoup. | – J'y suis demain toute la journée. .. ......................... |
| – Euh... demain ? D'accord, avec plaisir. Mais on y va comment ? | – ............................. ? |
| – Bien sûr, j'ai la voiture de l'entreprise. | – Alors ce n'est pas compliqué... ..... ............................................... ............................................... |

**5. Autre invitation (document 113).**
**Téléphonez ou écrivez pour accepter ou refuser.**

---

### MONCLOT SA

Bernard Monclot et ses collaborateurs ont le plaisir de vous inviter à la présentation de la nouvelle

# C307

jeudi 12 mars à partir de 18 heures
(cocktail)

72, avenue de Meaux – 77015 Melun cedex
Tél. 64 37 03 42

■ 113

**Genton Électronique**
Bureaux : 45, rue de Rocrou – 78100 SAINT-GERMAIN-EN-LAYE
Usine à ERMENONVILLE

■ 116

DEUXIÈME PAUSE

# PAUSE

## À DIRE

1. Nous sommes le 25 janvier. Vous êtes représentant chez KERT Ltd. Vous voulez un rendez-vous avec le directeur commercial d'OMNIPLASTIQUES. Vous téléphonez de Londres. Il n'est pas là et vous parlez avec sa secrétaire.

---

### OMNIPLASTIQUES S.A.

25, rue d'Aubervilliers
92500 COURBEVOIE
Tél. 47 05 90 81 – Télécopie : 47 05 91 75

---

Date/heure : 25/01, 11 h

Message à l'intention de : Jean-Charles Guindon

Téléphone du représentant de la SARL anglaise Kert, aujourd'hui à 11 h pour prendre RV.
Va rappeler cet après-midi.

---

2. Vous appelez M. Guindon. Il est d'accord pour vous rencontrer. Mais quand ? Le plus vite possible.

| Votre agenda : | | Agenda de M. Guindon : |
|---|---|---|
| 12e Salon des plastiques industriels (beaucoup de rendez-vous) | 26 | Libre |
| | 27 | |
| | 28 | 12e Salon des plastiques industriels |
| | 29 | (prendre des contacts/très occupé) |
| RV à Marseille, 11 h | 1/02 | |
| RV à Toulouse, 9 h | 2 | |
| RV à Bordeaux, 8 h 30 | 3 | |
| Pas de RV | 4 | voyage en Pologne |
| Pas de RV | 5 | |
| RV à Paris, 8 h 15 | 8 | Préparation séminaire du 9 et 10 |
| | 9 | |
| | 10 | Séminaire de vente en Europe de l'Est |
| | 11 | |

3. La conversation continue. Vous êtes maintenant d'accord sur une date et une heure pour le rendez-vous. Mais où est OMNIPLASTIQUES ?

**Vous :**
Vous n'avez pas de voiture.
Vous prenez souvent le taxi.
Vous ne connaissez pas la ville.

**M. Guindon :**
OMNIPLASTIQUES se trouve dans la nouvelle zone industrielle à côté de l'autoroute. Difficile à trouver, les taxis ne connaissent pas et les clients cherchent pendant des heures...

4. Refaites les activités de la page 29.
Proposez maintenant des dialogues plus longs et plus complexes !

# À ÉCRIRE

## 1. Chassez l'intrus (trois intrus par série).

**Horaires :**
la direction, la pause, le plein-temps, le matin,
le collègue, l'après-midi, le train, la semaine,
le programme, la journée.

**Quand ? :**
avant, après, devant, dans, pendant, qui, jamais,
en face de, quelquefois, toujours, tout droit.

**Réunion :**
un rendez-vous, une durée, un congé, un stage, un
congrès, un séminaire, une foire, un salon, un quart.

**Où ? :**
au nord, bientôt, au sud, à droite, après, derrière, avec,
à l'est, devant, chez, près de, on.

**Lieux :**
un entrepôt, un peu, un parking, un escalier, un plaisir,
des bureaux, une salle, une vente, un endroit.

**Messages :**
un agenda, une note, une interruption, une lettre,
un destinataire, un communiqué, de la part de, une
invitation, un repas, une télécopie.

## 2. C'est une question de temps ! Complétez.

Je ne vais jamais ... hôtel parce que je n'ai pas d'argent.
À midi, je vais ... restaurant de l'entreprise, mais je n'...
reste pas parce que je suis végétarien. Je vais avec plaisir
... musée, mais on ne peut pas ... aller tous les dimanches !
Je ne vais jamais ... cinéma le soir. Je vais souvent ... café,
mais sans ... rester longtemps : il y a plus urgent. Je voudrais aller ... banque cet après-midi, c'est urgent, mais je
ne vais pas avoir le temps. Je vais ... bureau chaque jour,
mais je n'ai pas le temps d'... travailler. Pourquoi ? Parce
que je vais toujours ... réunions organisées par la Direction, et qu'elles durent très, très longtemps : quand on ...
est, on ... reste des journées complètes. Pour la Direction,
elles sont très importantes, alors moi, j'... vais, mais je
voudrais bien aussi avoir le temps de travailler ... bureau.

## 3. Composez un petit texte ou une phrase. Utilisez les mots suivants – dans cet ordre – plus ceux que vous voulez :

– après - place - restaurant - où - produisons.

– tout à l'heure - nous - ensemble - qui - sympathique.

## 4. Écrivez huit mots ou expressions en rapport avec :

les lieux d'une ville : ..............

un programme : ..................

## 5. Quel désordre ! Remettez les mots de ces phrases en ordre.

a) beaucoup - cette - intéresse - m' - réunion.

b) le - elle - prochain - organiser - salon - doit.

c) est - le - habituellement - lundi - il - matin - fermé.

d) je - soirée - très - participer - à - sympathique - vais - une.

e) la - escalier - droite - à - de - de - l' - l' - est - entrepôt - porte.

f) Marseille - l' - sud - prenez - du - de - direction - auto-route - en.

## 6. Trouvez le bon verbe et écrivez-le.

a) Je ne ... pas où se trouve l'entreprise :
je ne ... pas son adresse.

b) Les conférences ... lieu à Toulouse, les 17 et 18 septembre.

c) Vous ... ma lettre maintenant, parce qu'elle ... urgente.

d) Elle ... à Lyon demain et n'y ... pas longtemps : l'après-
midi.

e) Elles ... prendre leurs congés en juillet parce qu'après,
ce n'... pas possible.

f) Nous ... beaucoup : nous ... visiter cinq pays en un
mois !

g) Ils ... à mi-temps.

## 7. Une secrétaire en or. Complétez.

Ma secrétaire, je ... aime bien, parce que les messages, elle ... prend très bien, que mes réunions, elle ... organise très bien, et que le temps, elle ... a toujours. Mes lettres ? Elle ... écrit et ... envoie. Le prochain Salon local de la bureautique ? Elle ... prépare. Mes rendez-vous ? Elle ... fixe sans rien oublier. Mon directeur ? Elle ... informe toujours pour moi. L'anglais ? Elle ... parle très bien. Vous voulez savoir si elle est sympathique ? Oui, bien sûr, elle ... est ! J'en suis enchantée, et je ne voudrais pas ... perdre !

## 8. Trouvez le contraire de ces mots ou expressions.

a) à gauche :

b) est :

c) premier :

d) avec :

e) à partir de :

f) ouvert :

g) présent :

h) jour :

i) compliqué :

j) près de :

k) ne ... jamais :

l) temps complet :

## 9. Complétez cette carte de visite pour inviter un(e) client(e) à venir à votre stand, au Salon « Avenir-Export ».

Salon Avenir-Export, du 25 au 30 septembre, Palais des congrès, 44000 Nantes.
Horaire d'ouverture : 9 h-20 h.

---

**Transports MORY-ETEX**
95500 Le Thillay
Tél. : (1) 39 33 90 90

J.-C. Lattien
consultant en logistique

## 10. Écrivez une télécopie pour informer votre collègue que vous êtes actuellement à Nantes, au Salon « Avenir-Export ». Précisez dates, heures et lieux où il/elle peut vous rencontrer.

# À LIRE

### L'agent double

Il y a des gens qui ont une secrétaire et un bureau, et pour eux, tout est simple. Mais pour moi, c'est compliqué, parce que je travaille à temps partiel : le matin je suis agent commercial à mi-temps chez Solvay. Vous connaissez Solvay, tous les gens connaissent Solvay parce que c'est l'entreprise de chimie qui a organisé les congrès très importants où Einstein et Bohr ont beaucoup parlé de physique quantique et atomique[1]. L'après-midi, je suis agent commercial (à mi-temps, bien sûr) chez un éditeur : Larousse. Tous les gens connaissent Larousse, en France, parce que tous les Français ont un dictionnaire Larousse chez eux. Vous comprenez ? Le matin, jusqu'au déjeuner, ce sont les visites chez les clients de Solvay : je suis « chimiste » et après le déjeuner et jusqu'au dîner, le « chimiste » est fermé et l'« encyclopédiste » est ouvert. La nuit, quelquefois, je ne sais pas qui je suis : chimiste ou encyclopédiste ? J'ai deux adresses, deux cartes de visite (normal : je suis agent « multicartes »), deux agendas, deux horaires, deux cartes bancaires, quinze jours de congés Solvay et deux semaines de congés Larousse...

Il y a des gens qui sont bien organisés, moi non. Quand je cherche mon agenda Solvay, je trouve l'agenda Larousse... et l'après-midi, je cherche mon agenda Larousse. Ce n'est pas simple : par exemple, maintenant, il est 11 h et on est jeudi. Je sais que j'ai un rendez-vous, mais je ne sais pas où est mon agenda Solvay. Mon rendez-vous, il est avec le client de l'avenue Kléber, au carrefour, ou avec le client qui est sur la place Maubert, après le pont, ou encore avec un autre ? Je ne sais plus, j'ai oublié... Je vais téléphoner, m'excuser, dire que je me suis perdu, prendre un autre rendez-vous : « demain ou dans deux jours ? À quelle heure ? Ah non, pas l'après-midi... Je vous invite à déjeuner à midi dans le petit restaurant derrière le musée... » Il va me dire : « Avec plaisir... »

Je ne suis pas très professionnel, mais je vends beaucoup parce que je suis sympathique et dynamique, et que je connais de très bons petits restaurants.

1. Mon petit dictionnaire dit :
– Niels Bohr : physicien danois, prix Nobel en 1922 pour sa théorie sur l'atome.
– Albert Einstein : physicien allemand ; travaux de physique théorique ; prix Nobel en 1921 ; connu pour sa théorie de la relativité.
– Ernest Solvay : industriel et philanthrope belge ; inventeur du procédé de fabrication du carbonate de soude ($Na_2CO_3$).

# 13. DE QUOI AVEZ-VOUS BESOIN ?

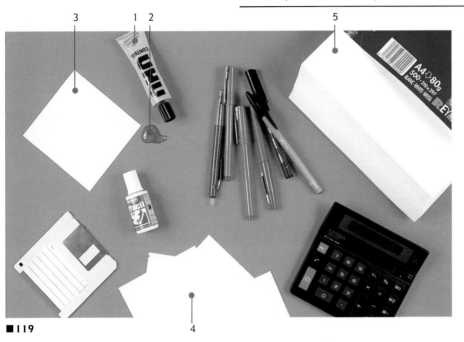

3  1  2  5

4

■119

## 2. L'ARTICLE PARTITIF :
du... de l'... de la...

1. un tube de colle
2. de la colle
3. un papier
4. des papiers
5. du papier A4

On dit aussi : de l'argent
(= un peu ou beaucoup d'argent)
Le temps c'est de l'argent
du temps
(= un peu ou beaucoup de temps)
de l'information
(= un peu ou beaucoup d'information)
du travail
(= un peu ou beaucoup de travail)

de + la → de la
de + l' → de l'
de + le → du

### ▭ À VOUS !
Écoutez et continuez avec :
papier, argent...

## ORDRE DU JOUR

### 1. ENCORE/NE... PLUS

M. Jacquet est **encore** là ?
Non, il n'est plus là.
Il y a **encore** du papier ?
Non, il n'y a plus de papier.

### 3. NÉGATION + UN... UNE... DES... DE LA... DE L'... DU... → DE ou D'

Je n'ai pas d'argent. Il n'y a pas de message aujourd'hui.
Ils n'ont pas de congés. Vous n'avez jamais de problèmes ?

### ▭ À VOUS ! Continuez avec :
château, papier, autoroute, téléphone, numéro, ordinateur.

### 4. LE PRONOM EN :
de... du... de la... de l'... des... + nom → en

Vous avez du papier ? – Oui merci, j'en ai. – Non, je n'en ai pas.
Vous voulez des programmes ? – Oui, j'en veux bien.

### ▭ À VOUS ! Continuez avec : papier, argent...

## SCÉNARIO TYPE : BESOINS ET COMMANDES

| | |
|---|---|
| Vous avez besoin de quelque chose ? | Je n'ai/nous n'avons plus de... |
| De quoi avez-vous besoin ? | J'ai/nous avons besoin de... |
| | Il me/nous faut... |
| Qu'est-ce que vous voulez ? | Je voudrais... |
| Il vous manque/faut quelque chose ? | Non merci. |
| Qu'est-ce qu'il vous faut ? | Je n'ai besoin de rien. |
| Vous avez encore...? | J'ai encore... |
| Il vous reste...? | Il me reste.../il ne me reste plus de... |
| | Il en reste.../il y en a encore... |

## BON DE COMMANDE

**à retourner à Fonctions Internationales, 38, rue de Berri, 75008 Paris**
*(avec une bande de routage pour les abonnés)*

Nom : _____

Prénom : _____

Adresse : _____

Code postal : | | | | | |

Ville : _____

*Veuillez m'envoyer* _____ *exemplaire(s) de « Le Pétrole, Emplois et Formation ».*

*Ci-joint la somme de* _____ *F.*          Signature

Date : _____

■ 120

---

FONCTIONS INTERNATIONALES

38, RUE DE BERRI                                      Paris, le 3/03/9□

75008 PARIS

                    à Monsieur Jean-Pierre LAVAUD
                    15, rue Ney
                    69006 LYON

   Nous avons bien reçu votre commande du 16/2/94 et votre chèque de 126 F, et nous vous en remercions.
   Nous regrettons de ne pas pouvoir...

■ 121

## SCÉNARIO 1

[cassette]

– Il faut commander quelque chose cette semaine ?
– Oui... On n'a plus de papier.
– Vous avez encore besoin de papier ?
– Oui, pour le fax et la photocopieuse.
– Vous n'en avez vraiment plus ?
– Non, regardez, il n'y en a plus du tout !
– Et des enveloppes ? Il vous en reste ?

**À VOUS !**
D'après le bon de commande (document 122), imaginez la suite de la conversation.

## SCÉNARIO 2

[cassette] **À VOUS ! Écoutez et remplissez l'inventaire de M. Barnier (document 123).**

## SCÉNARIO 3

[cassette] **À VOUS ! Remplissez le bon de commande du bureau 313. (Utilisez le formulaire du document 122).**

---

**BON DE COMMANDE**

Commande du bureau ......112......
              service ...Contentieux
Date : ...16 Avril

| Article | Quantité |
|---|---|
| Papier A4 | 2000 |
| Disquettes | 50 |
| Crayons | 12 |
| Colle | 5 |

Signature du responsable :

*À remettre au service de gestion après signature.*

■ 122

## SCÉNARIO TYPE : PROPOSER, INSISTER, REFUSER

| | |
|---|---|
| Vous voulez...? | Non, merci. |
| Vous ne voulez vraiment plus de...? | Je n'ai besoin de rien. |
| Vous allez bien prendre... | Non, vraiment, merci. |
| Vous prenez ce... n'est-ce pas ? | C'est très bien, mais je n'en ai pas besoin. |

## SCÉNARIO 4

▭▭ À VOUS !
- Continuez la conversation.
- Imaginez un nouveau Scénario 1 :
– Vous allez commander quelque chose cette semaine ?
– Non, merci...
– (insistez).

## SCÉNARIO 5

À VOUS ! Remplissez le bon de commande tel que Fonctions Internationales l'a reçu (documents 120-121).

MINISTÈRE DE LA CULTURE
Direction du livre

INVENTAIRE
Au 01/01/199 ▢

par service et bureau
Direction du livre

Quantité

- ordinateurs ....................................................... ...
- imprimantes ....................................................... ...
- calculatrices ....................................................... ...
- autre ....................................................... ...

■123

# BILAN

## 1. Trouvez ce qui a pu être dit avant et ce qui peut être dit après.

– Du papier.
– De papier.
– Je ne comprends pas, il n'y est plus.
– Non merci, j'en ai encore.
– Non, vraiment, merci.
– Oui, deux, mais il m'en faut deux de plus.

## 2. Complétez et jouez la conversation (regardez le document 125).

– Vous voyagez beaucoup, n'est-ce pas ? – .................................................

– Alors vous avez besoin de ce sac. – .................................................

– Pas besoin de sac ? Comment est-ce possible ?

– Bien sûr vous en avez déjà un, mais regardez .................................... – .................................................

– Pas besoin de ce sac ? Attendez. Regardez..................................... Ce sac n'est pas comme les autres sacs. Regardez-le bien .............................

.................................................. – .................................................

– Mon sac ne vous intéresse pas ? – .................................................

– Bon... mais dans votre profession, vous écrivez, n'est-ce pas ? – .................................................

– Alors, il vous faut ce stylo. – .................................................

– .................................................

## 3. Vous êtes VRP (voyageur-représentant-placier) pour une entreprise qui vend un produit de votre pays (choisissez lequel). Vous êtes en France et vous rencontrez un client.

## 4. Vous êtez toujours VRP et vous rencontrez un client qui ne veut rien commander. Vous insistez...

## 5. Vous téléphonez à un fournisseur français, belge, canadien ou suisse pour lui commander... (produit à choisir). La communication est mauvaise et votre fournisseur entend mal (Pardon ? Vous pouvez répéter ? Combien ? Vous pouvez épeler ? Excusez-moi, je ne comprends pas...).

### Le stylo de l'espace

*Réalisé pour la NASA, l'original est exposé au Musée d'Art Moderne de New York.*

Le SPACE PEN écrit dans toutes les positions, sur toutes les surfaces (même sur papier humide ou photos) de façon indélébile et aussi sous l'eau et dans les températures extrêmes (– 50° à – 200 °C). Grâce à sa cartouche pressurisée à base d'encre visco-élastique, il ne coule pas, ne bave pas, ne sèche pas et dure 3 fois plus longtemps.

Réf. : A8A.0433 SPACE PEN ................. 195 F
Réf. : A8A.2161 Lot de 3 RECHARGES pressurisées (noires)........................... 99 F

■ 124

### Voyage en cabine.

Ce superbe sac-cabine, réalisé dans un cuir pleine fleur noir d'une remarquable souplesse, allie luxe et organisation. Idéal pour les déplacements en avion, il voyage en cabine et vous évite les attentes de bagages à l'arrivée. 20 compartiments pour une parfaite utilisation : une grande poche à ouverture totale abrite linge et chaussures... la poche plate de face joue les "organizers" avec ses 6 compartiments (cartes de crédit, stylos...) et ses 2 profondes poches zippées.

Derrière, une poche zippée à triple compartiment s'ouvrant en accordéon pour vos dossiers, 2 poches extérieures à zip assurent un accès rapide au boarding-pass et autres. Ce bagage souple mais armé d'un cadre métallique, peut se porter à la main ou en bandoulière. Dim. : 43 x 32 x 12 cm.

■219.8367 Le sac cabine cuir                990 F

■125

# 14. À VENDRE OU À LOUER

Mieux qu'en banlieue !
Et pas plus cher !
Achetez votre local commercial ou vos bureaux dans un immeuble ancien rénové au centre ville.

*Renseignements :*
CENTREPRISE
Tél. : 49 27 98 20
Fax : 49 27 82 28

---

**LOCAUX À LOUER. ZI du GARET**
**Votre agence : ABC - Tél. 74 60 62 30**

---

**Chefs d'entreprise !**
La zone industrielle de Pessac vous offre toutes les possibilités : ateliers, bureaux, salles d'exposition, entrepôts, garages…
Tout cela à moins de 2 km du centre ville

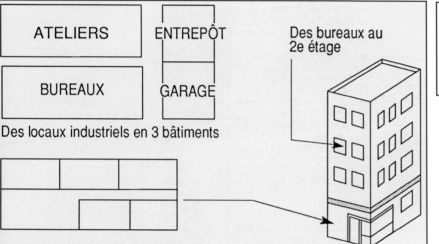

ATELIERS   ENTREPÔT

Des bureaux au 2e étage

BUREAUX   GARAGE

Des locaux industriels en 3 bâtiments

Un local de six pièces sur 400 m² au rez-de-chaussée d'un immeuble de trois étages.

**126**

**LOUEZ OU ACHETEZ VOS BUREAUX À ÉVRY-VILLE-NOUVELLE**

## ORDRE DU JOUR

### 1. LE COMPARATIF

| | | | moins bon que | moins bien que |
|---|---|---|---|---|
| – MOINS | | | | |
| = AUSSI + | adjectif ou adverbe | QUE | aussi bon que | aussi bien que |
| + PLUS | | | **meilleur que** | **mieux que** |

L'immeuble est plus grand que la maison et moins ancien.
Le garage est aussi grand que l'atelier.

N.B. Moins cher = meilleur marché

🔊 **À VOUS ! Continuez.**
Bureau/grand/travailler - local/confortable/avoir - voiture/bon/utiliser - locaux/bon marché/louer …

---

### 2. PLUS DE… MOINS DE…

Mon magasin coûte plus de deux millions, mais il se trouve à moins de deux kilomètres de Notre-Dame.

🔊 **À VOUS ! Continuez.**

---

## POUR INFORMATION

■ En français, louer a deux sens :

– J'ai un local. Je ne l'utilise pas mais je le loue à quelqu'un.

– J'ai besoin d'un local. J'en cherche un pour le louer.

## La meilleure vue sur l'immobilier
### ACHETER - VENDRE - LOUER
## 36-15 CODE FNAIM

### Local

■ LOUE 200 m² env. LOCAL usage entrepôt ou comm., px mens. 3 000 F HT, ctre VILLEFRANCHE. Tél. 78 91 93 71.

■ LOUE Atelier et bureaux, empl. 1er ordre 280 m² + gd park., poss. ts commerces, Thoissey. Tél. 74 04 04 68.

### Local industriel

■ LOUE avenue de l'Europe beaux locaux industr. ou commerciaux aménagés bureaux chauf., 742 et 1 500 m². Tél. 74 24 00 99.

■ BRIGNAIS Z.I., local 180 m², 3 bur., accès camion et autoroute, park., poss. 350 m². Tél. 72 30 79 72.

■ LES ECHETS (01), 10 min de Lyon, accès 500 m A46, à louer 400 m², activité ou stockage, poss. pont roul. 5T, park. Tél. 72 26 52 00.

### À vendre

■ 6 pièces. Splendide maison ancienne, jardin 750 m², garage, quartier calme. Tél. 78 35 87 83 de 18 h à 21 h.

---

Pour vendre plus rapidement tout bien immobilier agricole ou commercial à clientèles française et anglaise :
**LAGRANGE ANGLAIS**
163, av. Clemenceau
92022 Nanterre Cedex
Tél. (1) 47 24 63 63
Sérieuses références.

### Locaux commerciaux

■ À vendre ou à louer. ZAC LESQUIN de 500 à 2 500 m². Tél. 78 20 41 30.

### Local

■ Part. à part., Villeurbanne vte ou loc. 600 m², BUR. + act., exc. sit. prox. 6e ardt, px int. Tél. 78 03 26 04.

■ TARARE local ind. + imm. mitoyen de 3 app. surf. 1 500 m² libre 31/10/93 en SCI. Tél. matin 78 52 08 89.

### Local commercial

■ LOCAUX COMMERCIAUX 50 à 100 m², av. principale St-Priest, facil. paiement. Tél. 78 20 41 30, soir 78 20 32 53.

---

### À vendre ou à louer

■ LOCAL COMMERCIAL 600 m² exposition r-de-c . 200 m² bureaux 1er ét. ds imm. mod. 13e arrond. LIBRE IMMÉDIATEMENT. Faire offre. Tél. 45 45 33 12.

### PARIS

#### À louer

■ BUREAUX 520 m² sur 2 étages + hall 1 000 m², imm. anc. Garage. 15e Métro Montparnasse. Tél. 40 47 23 15.

#### À vendre

■ LOCAL COMMERCIAL – 17e arr. imm. anc. rénov. – 1 500 m² sur 3 étages. Parking. Tél. 45 36 40 72.

#### À vendre

■ LOCAL COMMERCIAL sur deux étages. RC. Expos. 800 m². 1er ét. Bureaux 120 m². Immeuble ancien 15e Tél. 47 24 85 85.

#### À louer

■ 3 000 F/mois. App. conf., 3 p., 70 m², 8e ét., gar., Métro : Montparnasse. Tél. 40 47 02 57.

#### À louer

■ LOCAL au RC. Immeuble moderne 12e arrond. 1 000 m² Expos. 300 m² Bureaux. Me JAVEL. Tél. 47 24 85 85.

■127

---

Locaux actuels de la société DAMPUIS.

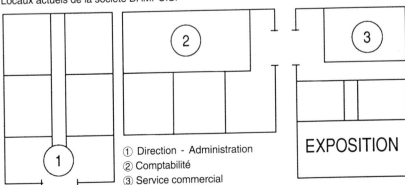

① Direction - Administration
② Comptabilité
③ Service commercial

ATELIERS 1400M2

ENTREPÔTS 1000M2

■12#

## SCÉNARIO TYPE : L'IMMOBILIER

Je cherche un local/des bureaux
à louer/à acheter.

Je voudrais louer/acheter un
appartement de X pièces/de X m².

Je voudrais quelque chose de
confortable/bon marché/moderne.

Il fait quelle surface ?/combien
de m²?/quel prix ?

Il coûte combien, ce local ?
Il vaut combien, mon local ?
Il se trouve où ?
On peut le visiter ?

C'est un local de X m²/un bâtiment de
deux étages/un immeuble ancien.

Il est bien situé/situé en banlieue/
dans la zone industrielle.

Il est libre immédiatement.
Il fait X m².

Vous voulez le visiter ?/le voir ?
Le loyer est de 300 000 F par an.

Il coûte 5 millions et demi.
Le prix est de 2 millions de francs,
ce n'est pas cher.

■129

# Le loyer des magasins de luxe

Dans toutes les grandes villes européennes, les boutiques de luxe se trouvent dans un même quartier ou dans une même rue. Combien coûtent les loyers de ces magasins dans ces rues ?

Selon «European Construction Research», les loyers des boutiques de Kaufingerstrasse à Munich et de Hohestrasse à Cologne sont plus chers que dans toutes les autres villes européennes (16 000 F par m² par an). Ces deux rues sont suivies par Kartnerstrasse à Vienne (14 000 F), puis l'avenue Montaigne à Paris (13 000 F) et Oxford Street à Londres (12 000 F). Les loyers du cours Tsakalof à Athènes et la rue Augusta à Lisbonne sont un peu meilleur marché.

■ 80 % des logements anciens de Marseille sont loués.
■ 50 % des logements de Marseille sont loués. Quel est le pourcentage des logements anciens à Marseille ?
1. 40 %
2. 30 %
3. 24 %
4. 13 %
5. On ne peut pas répondre à la question.

## SCÉNARIO 1

À VOUS ! Transformez les petites annonces en textes (document 127).

Exemple : C'est un local commercial de 200 m² qui est situé au centre de Villefranche.

▭ Écoutez les conversations et dites quelle annonce va intéresser chaque personne, et discutez.

Exemple :
– La première annonce va intéresser A, parce que ...
– Je ne suis pas d'accord, il cherche des bureaux plus petits...

## SCÉNARIO 2

▭ À VOUS !
• Écrivez le compte rendu de la réunion de service de la société DAMPUIS.
• Faites le plan des nouveaux locaux (voir les anciens locaux, document 128).

## SCÉNARIO 3

À VOUS ! Lisez le document 129 et présentez les rues où se trouvent les principales boutiques de votre ville.

# BILAN

**1. Trouvez ce qui a pu être dit avant et ce qui peut être dit après.**

– Mais je n'en ai pas besoin.
– De 22 m².
– Dans le quartier où je travaille.
– Si, mais j'en cherche un plus grand.
– Moins de 15 000 F par mois.
– Si, j'en ai un autre moins cher, mais il est moins confortable.
– Ancien.
– Non, pas du tout, c'est à dix minutes du centre ville.

**2. Écrivez une petite annonce pour l'endroit où vous habitez ou l'endroit où vous travaillez, puis une autre annonce pour le logement idéal que vous cherchez ou l'endroit où vous voudriez travailler.**

**3. Vous travaillez à l'agence immobilière A.B.C. Vous cherchez les annonces qui correspondent à la lettre de M. Duchosal (document 131) et vous lui téléphonez.**

**4. M. Duchosal téléphone à l'agence immobilière. Le local du 13ᵉ arrondissement l'intéresse, il voudrait le visiter. L'agent immobilier a un autre local à proposer.**

Manoir du XVIIIᵉ sur 14 000 m²

À l'orée du Périgord. Aquitaine (Lot-et-Garonne) 100 km Bordeaux. A la campagne, manoir restauré XVIIIᵉ siècle. Poutres et pierres, cheminées. 380 m², 9 pièces principales, 1 salle de bains, 2 cabinets de toilette, 3 wc. Caves voûtées. Piscine 12 x 5,40, dépendances 420 m². Terrain arboré 14 000 m². 2.000.000 FF. Possibilité d'acquérir sur 6 000 m², gîte rural 100 m² habitables, tout confort + dépendances. 400.000 FF. Tél. : 53.93.84.92 (province).

■ 130

Jean-Yves DUCHOSAL
S.A.C.V.
24, rue de Tolbiac
75013 Paris

À l'agence immobilière A.B.C.

Je cherche à acheter ou louer un nouveau local pour mon entreprise, dans le 12ᵉ ou le 13ᵉ. J'ai besoin de cinq bureaux de 20 m² environ et d'un local d'exposition de plus de 800 m², au rez-de-chaussée. Les bureaux doivent être confortables. Je préférerais acheter dans un immeuble moderne, près d'une station de métro. Merci de me faire connaître vos propositions.

■ 131

# 15. ACHETER ET VENDRE

## ORDRE DU JOUR

### 1. ASSEZ/PAS ASSEZ/TROP + NOM

J'ai besoin de trois ordinateurs, j'en ai seulement deux :
je n'ai pas assez d'ordinateurs (je n'en ai pas assez).

J'ai besoin de trois ordinateurs, j'en ai trois :
j'ai assez d'ordinateurs (j'en ai assez).

J'ai besoin de trois ordinateurs, j'en ai quatre :
j'ai trop d'ordinateurs (j'en ai trop) - (j'en ai un de trop).

### 2. ASSEZ/PAS ASSEZ/TROP/TRÈS + ADJECTIF

L'enveloppe est assez grande ... mais elle n'est pas assez solide.
Cet ordinateur est très puissant ... mais la table est trop petite !

### 3. ASSEZ/PAS ASSEZ/TROP/TRÈS/BEAUCOUP

| | | | | | |
|---|---|---|---|---|---|
| VERBE + | ASSEZ | PAS ASSEZ | BEAUCOUP | TROP | Il travaille trop. |
| | ASSEZ | PAS ASSEZ | BEAUCOUP | TROP + DE + NOM | Il a beaucoup de travail. |
| | ASSEZ | PAS ASSEZ | TRÈS | TROP + ADJECTIF | Il est très travailleur. |

▭▭ À VOUS ! Continuez.
Il travaille beaucoup, il ... / Je ne travaille pas assez ...

### 4. PRONOM + PRONOM

Le transport, je vous l'offre.
Je ne peux pas vous les vendre moins de 800 F pièce.
Il ne vous le loue pas ?
Il vous la faut pour quand ?

▭▭ À VOUS ! Continuez.
Louer le garage → faxer la réponse, vendre votre usine, appeler le taxi, écrire le bon de commande...

132

■ 133

■ 134

■ 135

■ 136

■ 13

## CÉNARIO TYPE : ACHETER

e voudrais un/une/des ...
e cherche un/une/des/ ...
ous avez des ...?
a coûte combien ?
ombien coûte ce/cette ... ?
uel est le prix ?
uel est le prix de ce/cette... ?
e modèle est trop cher/grand/
etit pour moi, vous avez autre
hose ?
ous avez plus .../moins ...?
e peux l'essayer ?
ien je le/la prends.
e prends ça.
ien, je vous remercie, je vais réfléchir.
Merci, mais je ne le prends pas.
a fait combien ?
ous prenez la carte bleue ?

C'est là/ici/là-bas.
Voici.
Vous désirez quelle couleur ?/
quel modèle/quelle taille ?

Quatre cent trente-cinq francs
cinquante (435,50 F)
Vous voulez voir autre chose ?
Nous avons un autre modèle plus ...
moins ...
Désolé, nous n'avons pas d'autre
modèle/couleur/taille.
Vous le/la prenez ?
Vous prenez lequel ?/laquelle ?

Si vous voulez payer à la caisse.
Ça fait 435,50 F.

## CÉNARIO TYPE : VENDRE

ous le/la/les prenez ?
i vous prenez les deux, je vous les fais à
00 F pièce.
i vous en prenez plus de 1 000, je vous les fais
... F hors taxes.
i vous en prenez pour plus de 10 000 francs,
e vous fais 20 % (de réduction).
i vous en prenez dix, je vous offre le transport.
i vous commandez/achetez avant le (date),
y a une réduction de 15 %.
y a une offre spéciale jusqu'au (date) : trois
our le prix de deux et le transport est gratuit.

Non, je vais réfléchir.
Non, c'est trop cher.
Le prix est T.T.C. ?

## SCÉNARIO 1

[cassette]

– Il fait combien cet ordinateur ?
– Le prix ? 7 950 F. C'est un 486.
– C'est un peu cher pour moi. Vous en
avez de moins chers ?
– Oui, le 386, là : il coûte 6 230 F.
– Et il est garanti combien de temps ?
– Il est garanti deux ans, comme
l'autre. Il est moins rapide que l'autre,
donc il est moins cher, mais il est aussi
solide.
– Je peux l'essayer ?
– Je vous en prie.

**À VOUS !** Un autre vendeur arrive.
C'est un vendeur qui insiste et qui
veut vendre le 486 à 7 950 F. Imaginez la conversation jusqu'au
moment où l'acheteur paie.

## SCÉNARIO 2

[cassette] **À VOUS !** Imaginez que
l'acheteur n'achète pas dans le
magasin, mais par correspondance
chez OPSI, et remplissez le bon de
commande (document 136).

## SCÉNARIO 3

[cassette] **À VOUS !**
• Regardez le document 135 et
écoutez la conversation.
• Écrivez le nouveau devis.
• Imaginez une autre conversation :
M. Barnier commande des disquet-
tes (voir document 138).

**ISQUETTES DYSAN**
ompatibles avec tous les
quipements.
ertifiées sans erreur à 100 %.

### OPERATION PRIX

| DISQUETTES DYSAN | réf. | par 10, pce ht | | par 50 pièce ht | par 100 pièce ht |
|---|---|---|---|---|---|
| 3''1/2 formatées DOS | | | | | |
| DF - DD, 720 KO | 570-22 | 8,30 | 6,95 | 6,60 | 6,30 |
| DF - HD, 1400 KO | 570-36 | 14,70 | 11,40 | 10,70 | 10,20 |
| 3''1/2 formatées MACINTOSH | | | | | |
| NOUVEAU DF - DD, 800 KO | 570-52 | | 6,95 | 6,60 | 6,30 |
| DF - HD, 1440 KO | 570-61 | | 11,40 | 10,70 | 10,20 |
| 5''1/4 non formatées | | | | | |
| DF - DD, 1000 KO | 570-67 | 11,70 | 6,80 | 6,40 | 6,10 |
| 5''1/4 formatées DOS | | | | | |
| DF - DD, 360 KO | 570-60 | 8,50 | 4,95 | 4,65 | 4,45 |
| DF - HD, 1200 KO | 570-01 | 14,25 | 7,80 | 7,35 | 6,95 |
| paquetage par 10 pièces d'une même référence avec pochette et étiquettes amovibles | | | | | |

■138

### POUR INFORMATION

■ H.T. = hors taxes (le prix ne
comprend pas les taxes).
■ T.T.C. = toutes taxes comprises
(le prix comprend les
taxes).
■ Franco de port : le prix comprend
le transport.

# BILAN

## 1. Complétez le dialogue.

– .............................................
– Non, je n'en ai pas besoin de deux !
– .............................................
– Mais deux, c'est trop pour moi !
– .............................................
– Mais ça ne m'intéresse pas et c'est trop cher : j'en veux un !
– .............................................
– Comment ? Vous me faites les deux à 7 500 F, et un seul, vous me le vendez 4 500 F ?
– .............................................
– Alors c'est trop cher. Pour ce prix-là je peux trouver mieux.
– .............................................
– D'accord, mais dix gratuites, ce n'est pas assez ...
– .............................................
– Bien, comme ça, ça va.

## 2.
L'entreprise MERCATOR veut changer ses téléphones. M. Barnier téléphone à MATRA pour connaître les prix (voir document 139).

## 3.
M. Barnier fait l'inventaire des besoins : il faut 41 appareils + 12 avec écoute amplifiée. Il téléphone à nouveau à MATRA.

## 4.
Un autre fournisseur a entendu parler du projet de MERCATOR. Il téléphone pour faire une offre puis envoie un devis.

## 5.
Imaginez la suite sachant que MERCATOR a finalement reçu la facture (document 140).

**TOUS NOS TÉLÉPHONES SONT GARANTIS 2 ANS**

**A**
Le modèle VOILE
**239$^F$**
MATRA COMMUNICATION

**A** ⟶ LE TELEPHONE MATRA EN 2 MODELES
Interrupteur de sonnerie. 3 mélodies différentes. Support mural. Touche bis. L/H/P : 35 x 7 x 21 cm. Garantie 2 ans.
- Le modèle VOILE

| | | |
|---|---|---|
| Noir | Réf. 2671 297 K | Prix : **239 F** |
| Rouge | Réf. 2671 298 H | Prix : **239 F** |
| Blanc | Réf. 2671 299 B | Prix : **239 F** |

- Le modèle VOILE 10
10 numéros mémorisables.

| | | |
|---|---|---|
| Noir | Réf. 3670 991 K | Prix : **299 F** |
| Rouge | Réf. 3670 992 H | Prix : **299 F** |
| Blanc | Réf. 3670 993 B | Prix : **299 F** |

**B**
**189$^F$**
**PHILIPS**

**B** ⟶ LE TELEPHONE PHILIPS TD 9040
Fonction bloc-notes. Sonnerie 2 tons. Support mural. Touche bis. L/H/P : 22 x 5,8 x 25 cm. Garantie 2 ans.

| | | |
|---|---|---|
| Noir | Réf. 5670 558 P | Prix : **189 F** |
| Ivoire | Réf. 2671 326 D | Prix : **189 F** |
| Vert | Réf. 1670 238 J | Prix : **189 F** |
| Bleu | Réf. 1670 239 D | Prix : **189 F** |

**C**
**390$^F$**
MATRA COMMUNICATION

Ecoute amplifiée

**C** LE TELEHONE MATRA VOILE AMPLI
Le téléphone avec écoute amplifiée à volume réglable le plus compact de la sélection. Prise de ligne sans décrocher. Touche bis. 3 sonneries différentes. L/H/P : 26,5 x 7 x 4,5 cm. Mobile ou mural. Garantie 2 ans.

| | | |
|---|---|---|
| Noir | Réf. 0671 520 M | Prix : **390 F** |
| Rouge | Réf. 0671 551 M | Prix : **390 F** |
| Blanc | Réf. 0671 552 J | Prix : **390 F** |

**NOS PRIX SONT T.T.C.**   ■139

| **SBM** | Services, bureaux, machines |
|---|---|
| 41, rue Hébert | |
| 47000 AGEN     FACTURE | Le 16.11.90 |
| Tél. 53472212 | |
| Fax 53475615 | |

| ARTICLE | Quant. | P.U. | Montant H.T. |
|---|---|---|---|
| Appareil réf. 2671299B | 38 | 159,36 | 6 055,68 |
| Appareil réf. 0671552J | 15 | 295,10 | 4 426,50 |

| BASE H.T. | TAUX T.V.A. | MONTANT T.V.A. | NET À PAYER |
|---|---|---|---|
| 10 482,18 | 18,6 % | 1 949,68 | 12 431,86 |

RC AGEN 1864913 - SIRET 1422878293
CCP TOULOUSE 472561

■14

# 16. EXPÉRIENCE PROFESSIONNELLE

## ORDRE DU JOUR

### 1. LE PASSÉ COMPOSÉ (= AVOIR ou ÊTRE + PARTICIPE PASSÉ)

– AVEC **AVOIR** : PRESQUE TOUS LES VERBES :
étudier :
j'ai étudié le français en 1992 ;
vendre :
elle a vendu tous les appareils.

– AVEC **ÊTRE** : QUELQUES VERBES :
aller, venir, rester, partir, entrer, devenir...
et tous les verbes pronominaux :
s'arrêter, s'occuper, se trouver, se voir...

Je suis resté, il est parti à 8 h.
Vous êtes venu seul ?

– PARTICIPE PASSÉ : **-ER** → TOUJOURS É
regarder → j'ai regardé ;
aller → vous êtes allé.

*...Oui, être commercial c'est passionnant, mais j'aimerais évoluer.*

*J'ai commencé à la Sodicam, aujourd'hui je suis chef des ventes.*

**Bac... Bac +2**

**Attachés commerciaux**

141

autres verbes → voir pp. 128-129

À VOUS ! Continuez :
être étudiante →
apprendre le français,
travailler comme directeur,
s'occuper d'informatique,
s'intéresser aux ressources humaines,
aller en Amérique, ...

### 2. PASSÉ COMPOSÉ + NÉGATION
### NE + AVOIR/ÊTRE + PAS/JAMAIS/RIEN + PARTICIPE PASSÉ

Je n'**ai** pas appris le russe. Il n'**a** jamais eu de diplôme.
Vous n'**êtes** pas resté longtemps. Elle n'**a** rien vendu.

À VOUS ! Continuez avec :
faire des études d'économie, apprendre le français, etc.

### 3. QUAND ?

| PRÉSENT | PASSÉ |
|---|---|
| cette année | en 1951 |
| en ce moment | il y a cinq ans |
| actuellement | il y a longtemps |
| depuis cinq ans | |

ORGANISENT

LE FORUM DE L'INDUSTRIE PHARMACEUTIQUE

# EMPLOI, MODE D'EMPLOI

## 25 ET 26 MARS 1992

Faculté de pharmacie
CHATENAY-MALABRY

Renseignements au 46.83.54.74

*Signé Bop*

■142

---

Arnaud LENOIR
27, rue Ney
69006 LYON
Né le 12.5.1972

Tel: 72 43 56 78

## Expérience professionnelle

- Depuis le 1/9/93: Technicien informatique au service de gestion de Rhône Poulenc.
- 1/9/91-31/12/91: Préparateur de commandes à Péchiney (Lyon).
- 1/9/90-31/8/91: Vendeur au Centre de loisirs de Lacanau (Gironde).

## Stage informatique

Service de gestion Rhône-Poulenc, Lyon.
- ordinateur Ordicompta
- tableur Multiplan
- logiciels Windows 2.0, Word 5.5 et Excel 4.0

## Formation

- 1990/1992: B.T.S. de comptabilité-gestion (Lyon).
- 1989/1990: Baccalauréat série G2.

■143

---

Isabelle GRANGER
64, rue du Cardinal Lemoine
75005 PARIS
Née le 14 avril 1965
Mariée, un enfant

## FORMATION

- 1987-1990: Licence de portugais.
- 1990-91: Maîtrise de langues étrangères appliquées (Université de Paris VII).

## EXPERIENCE PROFESSIONNELLE

- 1.8.91-31.7.92: Stage à France-Télécom (service des contrats).
- 1.5.93-30.6.93: Stage au service commercial des éditions Nathan.
- Depuis le 1.8.93: Responsable au service de terminologie à Télécom Portugal (Lisbonne).

■144

## SCÉNARIO TYPE : ÉTUDES

Qu'est-ce que vous avez fait comme études ?
Qu'est-ce que vous avez comme formation ?
Quels sont vos diplômes ?

Vous avez fait vos études où ?
Vous n'avez pas appris le ... ?

J'ai fait des études de (droit/chimie ...) à (école/université).
J'ai suivi une formation de (métier) à ... en (date).
J'ai eu le diplôme de ... en (date).
J'ai commencé des études de ... mais je les ai arrêtées.
J'ai appris le ... sur le terrain/sur le tas.

été ? eu ?
→ voir verbes ÊTRE et AVOIR p. 127.
appris ?
→ voir verbe APPRENDRE p. 129.
suivi ?
→ voir verbe SUIVRE p. 129.

## SCÉNARIO TYPE : EXPÉRIENCE PROFESSIONNELLE

Qu'est-ce que vous avez comme expérience ?
Où est-ce que vous avez déjà travaillé ?
Vous avez travaillé longtemps à ... ?
Vous n'avez jamais travaillé dans un/une ... ?

J'ai fait un stage de six mois/un an... au service informatique de ... .
J'ai commencé à travailler comme (métier) chez ... .
Je suis parti de chez ... en ... .
Je suis entré à .../chez ... comme (métier).
Je suis devenu responsable du service de gestion en (date).
J'ai été adjoint au chef du service pendant deux ans.
J'ai quitté la société ... pour aller chez ... . J'y suis resté trois ans.
J'y ai passé deux ans. Ensuite, j'ai préféré devenir indépendant/e.

## SCÉNARIO 1

🔲

• Pendant son entretien, Arnaud Lenoir a fait une erreur. Laquelle ? (Voir document 143.)
• Vous connaissez bien Isabelle Granger et vous parlez d'elle à votre chef de service (document 144).
• Vous interviewez Isabelle Granger.

> GILBERT VAUCANSSON
>
> DIRECTEUR DES RESSOURCES HUMAINES
>
> EXPERIENCE PROFESSIONNELLE
>
> – Depuis 1981 : Directeur des Ressources Humaines chez B.E.S. Lyon.
> – 1978-1981 : Adjoint au Directeur des Ressources Humaines.
> – 1974-1978 : Responsable du service Génie électrique chez B.E.S. Lyon.
> – 1973-1974 : Ingénieur au service Génie électrique chez B.E.S. Lyon.
> – 1972-1973 : Ingénieur (génie électrique) à I.F.M. Descotes (Grenoble).
>
> DIVERS
>
> – 1970-1971 : Séjour aux Etats-Unis.
> – 1968-1970 : Service militaire (sergent chef, service des transmissions).
> Langue pratiquée : anglais.

■145

## SCÉNARIO 2

🔲

– Alors, c'est vous le nouveau directeur des Ressources Humaines ?
– C'est exact.
– Et comment est-ce qu'on devient D.R.H.?
– Oh ! Ça dépend ... pour moi j'ai fait des études d'ingénieur en génie électrique en 1968.
– Vous avez commencé à travailler tout de suite ?
– Non, j'ai fait mon service militaire, et en 1970 je suis parti aux États-Unis.
– Pour y travailler ?
– Non, pour voyager... Je suis resté un an et demi aux États-Unis, puis je suis rentré en France et j'ai commencé à chercher du travail.

À VOUS ! D'après le curriculum-vitæ de Gilbert Vaucanson (document 145), imaginez la suite de la conversation.

## SCÉNARIO 3

🔲 À VOUS !

• D'après la conversation, écrivez le C.V. de Bernadette Verchère.
• Imaginez que vous présentez le dossier de Bernadette Verchère. (Elle s'appelle ... elle a fait des études de ...)

## BILAN

1. Imaginez un personnage exceptionnel : il a fait beaucoup d'études, il a beaucoup d'expérience, il a fait beaucoup de voyages, il parle beaucoup de langues. Écrivez son CV. (Inspirez-vous du document 146.)

2. Votre personnage cherche du travail. Il est reçu pour un entretien. Pendant l'entretien quelqu'un lui pose beaucoup de questions :
« Vous n'avez pas fait ...? Vous n'avez pas appris ...? Vous n'avez jamais travaillé comme ...?, etc.

3. Après l'entretien : on l'embauche ou non ? Certains veulent l'embaucher :
« Il a fait ..., il a été ..., il a travaillé ..., il parle ..., il connaît ..., il a étudié ... »
D'autres ne sont pas d'accord :
« Il n'a pas ..., il ne connaît pas ..., il n'a jamais été ... », etc.

4. Une lettre de candidature. Mettez les paragraphes dans le bon ordre.

a. Je réponds à votre annonce du 6 novembre dernier.

b. De 1981 à 1990, j'ai été ingénieur-conseil au Togo pour ALB International, directeur des ressources humaines chez P.A.R. Mercatique à Abidjan, puis directeur adjoint des ventes à la société CHIMIEX (Lyon), et enfin conseiller du président de la banque du Commerce International à Genève pour les relations avec les pays d'Afrique francophone.

c. Monsieur le Directeur des Ressources Humaines.

d. Société TRIPLEC
À l'attention de Monsieur Pierre Durieux
Directeur des Ressources Humaines
18-20, avenue du Maréchal-Leclerc
37000 MONTPELLIER

■146

e. Ingénieur en informatique et bureautique, j'ai commencé ma carrière comme responsable du service de production à la SDECMA (Bordeaux) en 1979.

f. Dans l'espoir d'une réponse favorable, je vous prie d'agréer, Monsieur le Directeur des Ressources Humaines, l'expression de mes sentiments distingués.

Jérôme Deschamps

g. Mon expérience professionnelle est donc importante.

h. C'est pourquoi je vous propose ma candidature au poste de directeur des ventes de votre société.

i. Je parle allemand et portugais, et j'ai une bonne connaissance du néerlandais et de l'italien (voir mon C.V. en annexe).

# 17. RÉSERVATIONS

■147

## ORDRE DU JOUR

### 1. PASSÉ COMPOSÉ + PRONOMS

– PRONOM + AVOIR/ÊTRE
+ PARTICIPE PASSÉ

Vous l'**avez vendu** ? Il y **est allé** quand ?

– NÉGATION : NE + PRONOM +
AVOIR/ÊTRE + PART. PASSÉ

Vous n'**en** avez **pas** cherché ?
Il n'**y** est **pas** resté longtemps.
Je **ne** l'ai **pas** envoyé.

📼 À VOUS ! Continuez.
Acheter les disquettes → aller au Salon, commander des enveloppes, envoyer le fax, payer l'assurance, visiter le laboratoire...

---

## 2. DE QUAND À QUAND ?

À partir de lundi jusqu'à vendredi
(à partir du lundi 16 avril jusqu'au vendredi 20 avril).

De lundi à vendredi
(du 16 au 20 avril).

## 3. OUI → AUSSI - NON → NON PLUS

J'en ai, et vous aussi vous en avez.
Je n'en ai pas, et vous non plus vous n'en avez pas.

📼 À VOUS ! Continuez avec :
rester ici, parler japonais, etc.

---

## 4. CELUI/CELLE...

| le... | lequel ? | celui |
|-------|----------|-------|
| la... | laquelle ? | celle |
| les... | lesquels ? | ceux |
| les... | lesquelles ? | celles |

Vous choisissez lequel, celui-là ?
Je prends celle à 600 F.
Vous préférez ceux-ci ?
Je préfère celles d'en face.

---

### POUR INFORMATION

■ Jusqu'à vendredi = vendredi inclus. On peut aussi préciser : jusqu'à vendredi compris ou jusqu'à samedi non compris.

**DTC-France**
9, rue de Verdun
BP 107
34000 MONTPELLIER CEDEX
TÉLÉPHONE : 67 92 93 41
TÉLÉCOPIE : 67 60 92 20

le 22/1 /9☐

Madame Jamet

à ACTIMON
M. Chevalier
FAX : 72 24 75 43

Bien reçu votre fax du 13 janvier (je l'ai trouvé hier à mon retour).
Pour la foire de Lyon cette année, je suis d'accord avec vous pour
prendre un seul stand pour nos deux sociétés. Merci de faire la
réservation, et de réserver aussi deux chambres d'hôtel, une pour
moi, et une pour M. Himbert à partir du vendredi 4 au soir. Je ne
reste pas à Lyon le dimanche, M. Himbert non plus.

Cordialement

■148

■150

**CIMEX**
45, rue de Paris
59000 LILLE
Tél. 20 57 00 05
Fax. 20 57 04 30

à AVIS Marseille
Fax : 91 59 25 90

Patrick Feller

Je vous confirme ma réservation d'une voiture CLIO RENAULT
pour les 13, 14 et 15 mars. J'arrive à l'aéroport de Marignane le 13
mars à 10 h 30, et je repars le 15 mars à 19 h.

Meilleures salutations

■149

## SCÉNARIO TYPE : RÉSERVATION

Je voudrais réserver une chambre/
un stand/une voiture...

Pour la semaine du ... au ...
Pour la nuit du ... au ...
C'est quel prix ?
Je choisis celle à 600 F.
Bien, je la/le prends.

Je voudrais réserver une place
dans le train/l'avion du (date),
au départ de ... pour ...
J'ai une chambre/voiture/
table réservée au nom de ...

Pour quelle date ?/pour quand ?/ pour
quel jour ?
Pour combien de temps/de jours/nuits ?
Vous voulez quel type de voiture ?
Vous voulez une chambre simple ou
double, avec douche ou salle de bains ?
Vous prenez laquelle ? Celle à 600 F ?
C'est à quel nom ?
Vous pouvez confirmer par fax ou par
courrier ?
Vous voulez partir à quelle heure ?
En quelle classe ?
Voilà votre billet.

choisis ?
→ voir verbe CHOISIR p. 128.

## SCÉNARIO 1

🔊 Monsieur Chevalier a reçu un
fax de DTC-France (document 148).
Il téléphone à la foire de Lyon.

– Allô! La foire de Lyon, bonjour.
– Bonjour, ici Chevalier, de la société
ACTIMON. Il vous reste des stands ?
– Pour cette année ? Oui, il nous en
reste encore.
– Bon, alors je voudrais en réserver
un.
– Il y en a de 60 m² et de 20 m². Vous
voulez quelle surface ?
– Ceux de 20 m², c'est 3 500 F c'est ça ?
– Oui, c'est ça. Alors il y en a un près
de l'entrée principale, et un autre près
du bar.
– Qu'est-ce qui est mieux ?
– Celui près de l'entrée est bien, mais
près du bar aussi c'est bien... il y a du
monde.
– Oui, mais il n'y a pas trop de bruit ?
– Près du bar ? Non.
– Et près de l'entrée ?
– Non plus.
(Suite de la conversation sur 🔊.)

À VOUS ! Après la conversation téléphonique, M. Chevalier appelle
Mme Jamet de DTC-France pour
confirmer la réservation. Mais elle
préfère un grand stand, près de
l'entrée.

• Imaginez et jouez la conversation.

• Monsieur Chevalier rappelle la
foire de Lyon. Imaginez la conversation.

"*Je donne vie à mes envies*"

**FOIRE DE LYON**
Eurexpo : 27 mars - 5 avril

■151

## SCÉNARIO 2

🔊 À VOUS ! Écoutez.
M. Chevalier réserve par téléphone
les chambres d'hôtel pour Mme
Jamet et M. Himbert (voir documents 150 et 151). Qu'est-ce qu'il
va faire ? Jouez la conversation.

## SCÉNARIO 3

À VOUS ! Regardez le fax de confirmation de CIMEX (voir document

149) et imaginez la conversation
téléphonique qui a eu lieu avec
AVIS.

## SCÉNARIO 4

🔊 Monsieur Feller appelle sa
secrétaire.
À VOUS ! Après la conversation que
vous avez entendue, la secrétaire
téléphone à l'hôtel du Vieux-Port et
à AVIS Marseille pour changer les
réservations (inspirez-vous du document 153).

# BILAN

**1. Trouvez ce qui a pu être dit avant, et ce qui peut être dit après :**

– Vous n'en avez pas réservé ?
– Celle à 700 F va très bien.
– Moi non plus, je n'y reste pas long-temps.
– Celui-ci aussi.
– À partir de mardi soir.
– Je ne sais pas jusqu'à quand.
– Pour deux jours ?

**2. Vous devez aller en France pour un voyage d'affaires.**

Vous envoyez un fax à votre partenaire français pour lui demander de vous réserver une chambre d'hôtel et une voiture.

**3. Le partenaire français fait les réservations.**

• Jouez les conversations.

• Votre partenaire vous téléphone (ou vous envoie une télécopie) pour vous donner les informations nécessaires (nom de l'hôtel et adresse, prix de la chambre, nom de l'agence de location et prix...). Jouez les conversations ou écrivez le fax (voir documents 150 et 153).

**4. Vous arrivez en France.**

Vous prenez votre voiture à l'aéroport (jouez la conversation) puis vous arrivez à l'hôtel (jouez aussi la conversation).

**5. Tarifs de location de voitures.**

Comparez les tarifs (document 152) (employez celui/celles et aussi/non plus ...).

| Catégories | Modèles | Places | Standard Jour + km | |
|---|---|---|---|---|
| | | | par jour FF | par km FF |
| A Économique | Peugeot 106 Ford Fiesta Renault 5 | 4 | H.T. 233,00 T.T.C. **276,34** | 3,71 **4,40** |
| B Affaires | Ford Escort Renault Clio Peugeot 306 | 5 | H.T. 290,00 T.T.C. **343,94** | 4,25 **5,05** |
| D Confort | Peugeot 605 Renault Safrane | 5 | H.T. 433,00 T.T.C. **513,54** | 5,80 **6,88** |
| I Évasion | Renault Espace | 7 | H.T. 501,00 T.T.C. **594,19** | 6,23 **7,39** |

■153

| | Eurodollar | Europcar | Eurorent | Hertz |
|---|---|---|---|---|
| jour+km | 234,50 F +4,40 F le km | 260 F +4,30 F le km | 260 F +4,20 F le km | 266,85 F +4,28 F le km |
| rachat ou réduction franchise | 82,50 F | 83 F | 81 F | 80,69 F |
| assurance personnes transportées | 33,50 F | 37 F | 33 F | 40 F |
| assurance vol incendie véhicule | – | – | – | 33 F |
| jour km et assurance inclus | 430 F | 940 F | 395 F | 995 F |
| week-end (3 jours) km et assurance inclus | 775 F | 890 F | 918 F (1 000 km inclus) | 890 F |
| semaine km et assurance inclus | 3 150 F | 3 150 F | 2 288 F | 3 615 F |

■152

# 18. RÉCLAMATIONS

■154

## ORDRE DU JOUR

## 1. LE PRONOM RELATIF QUE

Voilà le fax **que** j'ai reçu hier.
(= Voilà le fax + je l'ai reçu hier)

Vous avez reçu une lettre **que** vous n'avez pas lue.
(= Vous avez reçu une lettre + vous ne l'avez pas lue)

Où sont les factures **que** je dois payer ?
(= Où sont les factures ? + je dois les payer)

Celle **qu'**il a achetée ne marche pas.
Où sont ceux **qu'**il a choisis ?

🔲 **À VOUS ! Continuez.**
Facture → lettre, photocopies, disquette, courrier ...

## 2. QUAND ?

| PRÉSENT | PASSÉ |
|---|---|
| aujourd'hui | hier |
| ce matin | hier matin |
| ce soir | hier soir |
| cette nuit | la nuit dernière |
| cette semaine | la semaine dernière |
| ce mois-ci | le mois dernier |
| cette année | l'année dernière |

## 3. LES QUESTIONS

| | | |
|---|---|---|
| Vous avez le fax ? Le bureau est assez grand ? | Est-ce que vous avez le fax ? .................... | Avez-vous le fax ? Le bureau est-il assez grand ? |
| QUOI ? Vous préférez **quoi** ? Vous avez besoin **de quoi** ? Il parle **de quoi** ? | **Qu'est-ce que** vous préférez ? **De quoi est-ce que** vous avez besoin ? .................... | **Que** préférez-vous ? **De quoi** avez-vous besoin ? **De quoi** parle-t-il ? |
| QUI ? Vous appelez **qui** ? Elle parle à **qui** ? | **Qui est-ce que** vous appelez ? .................... | **Qui** appelez-vous ? .................... 〔Qui est-ce ?〕 |
| QUEL ? Vous avez **quel** bac ? Il vient à **quelle** heure ? | **Quel** bac **est-ce que** vous avez ? .................... | **Quel** bac avez-vous ? .................... 〔Quelle est son adresse ?〕 |
| POURQUOI ? Vous le vendez **pourquoi** ? | **Pourquoi est-ce que** vous le vendez ? | **Pourquoi** le vendez-vous ? |
| COMMENT ? Vous voyagez **comment** ? | .................... | .................... |
| OÙ ? .................... | **Où est-ce que** vous allez ? | .................... |
| QUAND ? Elle part **quand** ? | .................... | .................... |
| COMBIEN ? Il coûte **combien** ? Vous restez **combien** de temps ? | .................... **Combien** de temps **est-ce que** vous restez ? | .................... |

**À VOUS ! Complétez le tableau.**

## SCÉNARIO TYPE : PROTESTER, RÉPONDRE À UNE PROTESTATION

J'ai acheté/réservé/commandé...
et maintenant on me donne/
on me propose/je reçois...
Je regrette, ce n'est pas ce que
j'ai acheté/réservé/commandé.
Ce n'est pas normal !
C'est inadmissible !
Je ne peux pas accepter ça !
Il faut me changer/rembourser/
réparer ce/cette...
Je veux un(e) autre ...
Vous devez faire quelque chose !

Nous sommes désolés/navrés...
Il y a eu une erreur...
Nous avons dû mal comprendre...
Je ne sais pas ce qui s'est passé.
Nous avons oublié...
Toutes nos excuses.
Je vous prie de nous excuser.

> Veuillez accepter toutes nos excuses.

Nous allons vous le changer/rembourser.
Je regrette, je ne peux rien faire.
Je suis désolé mais nous ne sommes pas
responsables/mais il (elle) n'est plus sous
garantie.
Nous allons vous le changer/rembourser.

## SCÉNARIO 1

– Voilà l'ordinateur que j'ai acheté
chez vous le mois dernier.
– Oui. Quel est le problème ?
– Il ne marche pas.
– Vous pouvez nous le laisser ? On va
vous le réparer.
– Écoutez ! Il m'a déjà coûté assez
cher ! Ou bien vous me le changez, ou
bien vous me le remboursez.
– C'est impossible, c'est un appareil
que vous avez acheté en promotion.

**À VOUS ! Le client insiste. Imaginez
la suite de la conversation.**

**CIMEX**

45, rue de Paris
59000 LILLE
Tél. 20 57 00 05
Fax. 20 57 04 30

Lille, le 22/04/9☐

à l'Hôtel du Vieux-Port
136, quai du Port
13000 MARSEILLE

Nous avons bien reçu votre facture du 17/04/9☐ concernant la chambre
occupée par notre directeur, M. Feller, les nuits du 14 au 15 et du 15 au
16 mars.
Nous ne pouvons cependant pas accepter de payer la somme que vous
demandez. En effet, votre facture indique une chambre à 1 050 F pour les
deux nuits. Or la réservation que nous vous avons faite concerne une
chambre à 730 F.
Je vous prie donc de nous envoyer une autre facture.

Veuillez agréer nos meilleures salutations

Service comptabilité

■155

**DTC-France**
9, rue de Verdun
BP 107
34000 MONTPELLIER CEDEX
TÉLÉPHONE : 67 92 93 41
TÉLÉCOPIE : 67 60 92 20

Le 15/02/9☐

Madame Jamet

à ACTIMON
M. Chevalier
FAX : 72 24 75 43

J'ai bien reçu votre lettre concernant le stand de 60 m² que vous avez réservé pour nos deux sociétés à la foire de Lyon.

J'ai pris contact avec les organisateurs pour avoir des renseignements sur le stand que vous avez choisi. Voici leur réponse : "ACTIMON n'a pas réservé de stand." Je ne comprends pas… j'espère que c'est une erreur.

Cordialement

*Jamet*

■ 156

**Pour mieux vous servir / *To serve you better***

Madame, Mademoiselle, Monsieur,

C'est avec intérêt que nous prendrons connaissance des suggestions et observations que vous voudrez bien nous faire.
Elles nous permettront de vous assurer à l'avenir un meilleur service.
Cette carte peut-être postée ou confiée à un membre du personnel AIR INTER, à votre convenance.                                      Merci.

*We would be very interested to hear whatever comments or suggestions you might wish to make. This will allow us to offer a better service in the future.*
*This card may be posted free of charge in France or handed to AIR INTER staff.*                                      *Thank you.*

*Deux heures de retard !!*

■ 157

## SCÉNARIO 2

Le 14 mars, Monsieur Feller arrive à l'aéroport de Marseille. L'avion a deux heures de retard. Il fait une réclamation (document 157), complétez-la.

🔊 Monsieur Feller arrive à l'hôtel du Vieux-Port à Marseille (voir dossier 17, scénarios 3 et 4). Écoutez la conversation.

### À VOUS !
• La personne de l'hôtel cherche encore et trouve une réservation pour Monsieur Feller pour le 13 mars. Imaginez la suite de la conversation.

• Monsieur Feller a déjà eu le même problème à l'aéroport : il n'a pas trouvé de voiture réservée à son nom. Imaginez la conversation.

## SCÉNARIO 3

### À VOUS !
• Imaginez que le comptable de la CIMEX téléphone au lieu d'envoyer un fax (document 155), et jouez la conversation.

• Le directeur de l'hôtel du Vieux-Port se rappelle bien : il y a eu un problème de réservation ce jour-là. Quelqu'un a téléphoné pour annuler sa réservation, et ainsi, Monsieur Feller a eu finalement une chambre à 1 050 F pour les deux nuits. Il téléphone à la CIMEX pour protester.

## SCÉNARIO 4

Monsieur Chevalier, d'ACTIMON, a réservé un stand pour la foire de Lyon (dossier 17, scénarios 1 et 2). Plus tard, il reçoit une télécopie de Madame Jamet de DTC-France (document 156). Il téléphone aux organisateurs de la foire de Lyon. On ne lui a pas réservé de stand et il n'en reste plus.

### À VOUS ! Imaginez la conversation.

## BILAN

**1. Trouvez ce qui a pu être dit avant et ce qui peut être dit après :**

– Non, désolé, ce n'est pas celle que vous avez réservée.
– Mais je ne peux pas rembourser celui que vous avez acheté il y a deux ans !
– Mais je veux celle que j'ai commandée !
– Vous l'avez acheté ici ?

**2. À l'hôtel. Complétez et jouez la conversation.**

– .......................................................
– Ah ? Elle ne marche pas ?
– .......................................................
– Je ne sais pas... Peut-être demain.
– .......................................................
– Mais monsieur je ne sais pas réparer une douche, moi !
– .......................................................
– Bien sûr monsieur, ici c'est un hôtel de luxe, mais qu'est-ce que je peux faire ?
– .......................................................
– Elles sont toutes occupées !
– .......................................................
– Je suis désolé monsieur, mais ...
– .......................................................
– .......................................................

■158

**3. Vous êtes en France à l'hôtel. Vous prenez l'avion le lendemain matin et vous demandez à la réception de l'hôtel de vous réserver un taxi pour 4 h 30. Vous demandez aussi votre facture.**
• Jouez la conversation.
• Il y a une erreur sur votre facture : on vous compte un jour de plus. Vous descendez à la réception pour protester. Jouez la conversation.
• Le lendemain, 4 h 30. Le taxi commandé n'arrive pas. Vous ne pouvez pas prendre votre avion, et vous devez rester une nuit de plus à l'hôtel. Vous protestez.

**4. Monsieur Barnier de l'entreprise MERCATOR a commandé des téléphones (dossier 15, Bilan 5). Il reçoit sa commande et trouve 41 appareils simples, et 12 avec écoute amplifiée. La facture est bien celle que vous pouvez voir au dossier 15 (document 140). Il téléphone ou il écrit à S.B.M. pour protester.**

# PAUSE

## À DIRE

La société OMNIPLASTIQUES S.A. (cf. 2$^e$ pause) veut avoir une agence à Toulouse.
A travaille chez OMNIPLASTIQUES S.A., et doit s'occuper de cette agence.

1. A réserve une chambre dans un hôtel de Toulouse pour 5 jours.
B travaille dans des hôtels. Le 1$^{er}$ hôtel est complet. Il reste 2 chambres dans le 2$^e$ hôtel.

A téléphone pour réserver / louer une voiture à Toulouse.
B travaille chez Europcar-Toulouse (tarifs, voir document 152).

2. A cherche un local pour l'agence. Besoins : local commercial et industriel, 350-450 m$^2$, sur 1 ou 2 étages, moderne, à acheter (moins de 4 000 F/m$^2$) ou à louer (moins de 400 F/m$^2$/an). 1/3 pour les bureaux, 1/3 pour une exposition des produits, et le reste pour l'entrepôt et les réparations.

B est agent immobilier à Toulouse. Il a :
1. Local comm., 300 m$^2$, ancien, sur 2 étages, près du centre, 105 000 F/an.
2. Local comm. / indust., 400 m$^2$, bureaux et stockage, ZI de..., 1 700 000 F.
3. ...

A et B prennent rendez-vous pour aller visiter un local. (Précisez le lieu. A ne connaît pas bien Toulouse.)

3. A a besoin de fournitures pour les bureaux de la nouvelle agence : 3 ordinateurs, une imprimante, 3 téléphones, 3 calculatrices, un télécopieur, du papier, des disquettes... Il téléphone à un magasin spécialisé, discute des prix et des modèles, et demande un devis. Son budget est de 50 000 F.

4. A recrute un technico-commercial pour la nouvelle agence.
Société dynamique cherche vendeur technico-commercial expérimenté pour sa nouvelle agence de Toulouse. Branche : plasturgie. Envoyer CV et lettre manuscrite à...
Il a eu 2 réponses intéressantes, et discute maintenant avec le 1$^{er}$ candidat (B).

5. On a livré le matériel, mais A constate qu'un des ordinateurs ne marche pas, et que le prix sur la facture ne correspond pas au devis (3 000 F de plus). Il téléphone...

# À ÉCRIRE

**1.** **Chassez l'intrus (trois intrus par série).**

**Argent :**
somme, payer, rembourser, prix, bruit, valoir, puissant, coûter, caisse, classe, bon marché.

**Apprendre :**
gestion, diplôme, école, logement, étudier, formation, étage, expérience, université.

**Commande :**
article, bon, taille, retour, BTS, douche, manquer de, modèle, exemplaire, pièce, couleur.

**Réponse :**
proposer, remercier, arrêter, confirmer, réserver, accepter, protester, quitter, rester.

**Quand ?**
autre, tout de suite, il y a, assez, dans, hier, né le, commencer à, actuellement, vraiment, aujourd'hui.

**2.** **Complétez la lettre.**

Messieurs,
J'ai bien ... ma commande du 25 août ... 150 calculatrices, de marque Olivetti, ... AZX, et je vous en ... .
J'ai ... bien reçu la facture concernant ... calculatrices, mais je pense qu'il y a une ... : dans vos publicités, vous annoncez ces calculatrices en ... et vous ... à vos clients une ... de 27 FRF, HT, par ... . Or, vous avez ... cette réduction sur votre facture car vous partez du ... normal.
Je ... demande donc une ... facture.
... accepter mes ... salutations.

**3.** **Composez un petit texte ou une phrase. Utilisez les mots suivants - dans cet ordre - plus ceux que vous voulez.**

a) confortable - banlieue - loyer - nous préférons - plus - tout de suite.

b) demandé - essayé - utilisé - offert - réfléchi - accepté.

c) choisi - réparent - formation - plus de - cher.

**4.** **Écrivez huit mots ou expressions en rapport avec :**

une réservation : ...

un problème : ...

**5.** **Quel désordre ! Remettez en ordre les moments de la conversation que vous avez eue avec le directeur des ressources humaines et précisez qui fait quoi.**

a) Questions sur le C.V.

b) Dire merci et au revoir.

c) Salutations.

d) Présentations.

e) Présenter le travail.

f) Proposition (argent et horaire).

g) Emplois occupés avant.

h) Expliquer la demande/la candidature.

## 6. Soulignez le mot juste.

a) Il a vraiment besoin (de l'/de/d'/du) argent.

b) Il n'y a (pas un/pas d'/rien/pas de) message pour vous.

c) Ce petit immeuble coûte (plus de/moins que/mieux que/trop de) 6 millions.

d) Sa maison, il ne veut pas (la vous/le vous/vous la/vous le) louer ?

e) C'est le métier (où/qui/que) je préfère.

f) Il a appris le danois (dans/en/il y a/pour) 1996.

g) Ce modèle est (très/beaucoup) puissant et je (la/les/le) préfère.

h) Je ne l'ai pas loué, je l'ai acheté (ce/cet/cette/ces) immeuble.

## 7. Trouvez le bon verbe et écrivez-le.

a) ... beaucoup de monde ce matin dans le magasin.

b) Je vous ... que j' ... une chambre double pour le 24.

c) Elles n' ... pas leurs études au bac : elles ... après, à l'université.

d) Il ... cet appareil sans l' ..., ce qui est une erreur.

e) Elle ... chez Michelin en 1987, et ... en 1990, trois ans après.

f) Vous ... le français il y a longtemps ?

g) Qu'est-ce que vous ... ? Le grand ou le petit ?

h) Ça s' ... bien ... ? Les clients n' ... pour cette erreur ?

## 8. Trouvez le contraire de ces mots ou expressions.

accepter :          réponse :

manquer de :     commencer :

quelque chose :   gratuit :

vendre :           bien :

nouveau :        partir :

T.T.C. :           meilleur marché :

## 9. Vous voulez aller à la Martinique (île française des Caraïbes) pour un voyage d'affaires.

**a.** Écrivez une télécopie à HERTZ pour avoir le tarif de location de voitures. HERTZ, 38, boulevard du Front de mer, 97000 Fort-de-France, fax : (596) 50 96 96.

**b.** Écrivez une télécopie pour l'hôtel Novotel (route du Vauclin, 97240 La Martinique, fax : (596) 54 74 87), pour avoir une brochure sur l'hôtel.

## 10. Écrivez un C.V. et une lettre de candidature : pas pour vous mais pour votre voisin(e) ; vous choisissez l'entreprise.

# À LIRE

### Mathématiques et crises

Monsieur Tour, le P.-D.G. de CYCLO S.A. est mauvais en mathématiques, et son entreprise a des problèmes financiers : il doit payer ses employés le 30 mars. Or, le 15 mars, il n'y a pas assez d'argent à la banque pour les payer tous... Son entreprise fabrique des bicyclettes, mais en mars, normalement, on ne vend pas beaucoup de bicyclettes ! C'est la crise ! Il a besoin de faire rapidement un CA de 300 000 francs et il sait qu'il y a 240 bicyclettes dans l'entrepôt.

Il téléphone à des associations sportives et leur propose ses bicyclettes en promotion, vraiment moins cher que le prix normal : pour 3 000 F, elles peuvent acheter 3 bicyclettes normales ou 2 bicyclettes spéciales. C'est un prix très intéressant. Le 15 mars, il vend ainsi 60 bicyclettes normales et 60 bicyclettes spéciales, et il est assez content : il a gagné 150 000 F.

Le 16, il veut vendre le reste. Il téléphone à d'autres associations et leur propose, parce que c'est plus simple pour lui, de payer 6 000 F pour 3 bicyclettes normales + 2 bicyclettes spéciales (5 bicyclettes en tout). Il vend ainsi les 120 bicyclettes qui restent dans l'entrepôt.

Mais, le 30 mars, il manque encore 6 000 francs. Est-ce qu'un client n'a pas payé ou est-ce que notre P.-D.G. a fait une erreur ?

## LES DOUZE MÉTIERS PRÉFÉRÉS DES FRANÇAIS.

### Chercheur plutôt que ministre

Les 12 métiers préférés des Français, par ordre décroissant d'intérêt :

| | |
|---|---|
| • Chercheur | 20 % |
| • Pilote de ligne | 17 % |
| • Rentier | 17 % |
| • Médecin | 17 % |
| • Journaliste | 17 % |
| • Chef d'entreprise | 13 % |
| • Comédien | 12 % |
| • Publicitaire | 8 % |
| • Professeur de faculté | 7 % |
| • Avocat | 7 % |
| • Banquier | 5 % |
| • Ministre | 2 % |

Louis Harris, *VSD*, février 1992.

# 19. COMMENT ÇA SE DIT ?

## ORDRE DU JOUR

### 1. C'EST + ADJECTIF + À + INFINITIF

C'est difficile à expliquer.
C'est simple à comprendre.
C'est agréable à faire.

### 2. ADJECTIFS ET ADVERBES : ADVERBE = ADJECTIF + (E)MENT

Nos locaux **actuels** sont trops petits =
**Actuellement** nous avons des locaux trop petits.

| ADJECTIF | ADVERBE |
|----------|---------|
| agréable | agréablement |
| .............. | librement |
| rapide | .............. |
| valable | .............. |
| .............. | simplement |
| .............. | vraiment |
| gratuit | gratuitement |
| .............. | seulement |
| lent | .............. |
| prochain | .............. |
| spécial | .............. |
| ancien | anciennement |
| professionnel | .............. |
| heureux | heureusement |
| **différent** | **différemment** |
| **cher** | **cher** |

**À VOUS !** Complétez le tableau.

🔲🔲 **Continuez avec :**
La visite est libre. Le voyage est agréable. C'est une commande spéciale. C'est un appel gratuit. La réservation est difficile.

---

■159

### 3. ÇA + SE + VERBE

Ça s'écrit comme ça, = on l'écrit comme ça
mais ça se prononce différemment. = on ..............
Ça se fait souvent. = ..............
.............................. = on le vend bien.
.............................. = on l'achète dans les grands magasins.
Ça se comprend sans problème. = ..............

**À VOUS !** Complétez puis continuez avec :
louer cher, oublier rapidement, organiser simplement, lire facilement, préparer difficilement, visiter gratuitement, réparer..., changer..., apprendre, etc.

**1. action** [aksjɔ̃] n. f. **1°** Manifestation matérielle de la volonté humaine dans un domaine déterminé (souvent avec un adj. ou un compl. du nom sans art.) : *Les motifs de son action restent obscurs. L'action courageuse des sauveteurs a permis de limiter l'étendue du désastre. Par une action audacieuse, il a empêché un drame* (syn. : ACTE). *Il a attiré l'attention sur lui par une action d'éclat* (= un exploit). *Accomplir une bonne action. Action de grâces* (= témoignage de reconnaissance). *Un homme d'action* (= entreprenant). *Il a une liberté d'action très réduite* (= une possibilité d'agir). L'*action* peut être celle d'un groupe humain, d'une profession, d'une classe sociale, d'une nation, d'une entité juridique recouvrant une réalité politique, etc. (en ce cas, le mot entre en composition avec un grand nombre d'expressions, où il est complément du nom sans article ou complément d'un verbe, formant avec eux une locution nominale ou verbale) : *L'action du gouvernement s'est exercée sur les prix. Mener une action d'ensemble, une action concertée qui s'oppose à l'action individuelle. L'entreprise dispose d'importants moyens d'action* (= des moyens d'agir efficacement). *Les fonctionnaires ont fixé la date de leur journée d'action, de leur semaine d'action* (= le jour, la semaine où ils feront connaître publiquement, par des manifestations, leurs revendications). *Un parti détermine son programme d'action, sa ligne d'action* (= sa manière d'agir et ses buts). *L'action sanitaire et sociale de la Sécurité sociale. Condamner l'action des agitateurs. L'espoir est dans une action décisive de l'État. L'unité d'action* (= manifestation faite par des groupes divers qui s'entendent pour présenter des revendications communes). *Un*

*comité d'action réunit en un groupe limité des personnes responsables, décidées à agir en vue d'intérêts communs. Un roman, une pièce où il n'y a pas d'action* (= marche des événements, progression dramatique, péripéties). — **2°** *Action des corps physiques, des éléments, des idées*, etc., manière dont ils agissent sur d'autres : *L'action du vent a brisé le sommet du peuplier. Sous l'action de pluies diluviennes, les torrents ont grossi soudainement* (= sous l'effet de). *L'action du médicament a été très brutale.* — **3°** *Champ d'action*, étendue, domaine où s'exerce l'activité de quelqu'un. || *Être en action*, être en train d'agir, de participer à une entreprise projetée auparavant : *Des équipes sont déjà en action pour réparer les voies endommagées de la ligne de chemin de fer.* || *Mettre en action*, réaliser ce qui n'était encore qu'une idée, une intention. || *Passer à l'action*, prendre une attitude offensive. ◆ **inaction** n. f. Absence de toute action, de toute activité, de tout travail : *Il ne sort de son inaction que pour faire des sottises. Il supporte difficilement l'inaction* (syn. : DÉSŒUVREMENT, OISIVETÉ).

**2. action** [aksjɔ̃] n. f. **1°** Titre représentant les droits d'un associé dans certaines sociétés : *Action nominative* (= qui porte le nom du possesseur). *Action au porteur. Acheter, vendre des actions.* — **2°** *Ses actions montent, baissent*, se dit de quelqu'un dont la réputation croît ou diminue. ◆ **actionnaire** n. Personne qui possède une ou plusieurs actions dans une société financière ou commerciale.

**3. action** [aksjɔ̃] n. f. Exercice d'un droit en justice : *Intenter une action* (= déposer une plainte contre quelqu'un). *Introduire une action en justice.*

**1. traduire** [tradɥir] v. tr. (conj. **70**). **1°** (sujet nom de personne) *Traduire un texte, un discours*, etc., les faire passer d'une langue dans une autre : *Traduire de l'anglais en français. L'interprète traduisait fidèlement ses paroles. Traduire un auteur, traduire ses ouvrages.* — **2°** (sujet nom de personne ou de chose) *Traduire une chose* (abstraite), l'exprimer d'une certaine façon : *Traduisez plus clairement votre pensée. La musique est capable de traduire certains sentiments. Son attitude traduisait son impatience* (syn. : TRAHIR). ◆ **se traduire** v. pr. (sujet nom de chose). Se manifester : *La joie se traduisait sur son visage.* ◆ **traduction** n. f. **1°** Action, manière de traduire : *La traduction est un travail difficile. Une traduction littérale, fidèle, exacte.* || *Traduction automatique*, traduction d'un texte effectuée au moyen de machines électroniques. — **2°** Ouvrage traduit : *Acheter une traduction de Shakespeare.* ◆ **traducteur, trice** n. Personne qui traduit. ◆ **traduisible** adj. (souvent dans des phrases négatives) : *Un texte difficilement traduisible.* ◆ **intraduisible** adj. : *Une expression intraduisible dans une autre langue.*

**2. traduire** [tradɥir] v. tr. (conj. **70**). *Traduire quelqu'un en justice*, l'appeler devant un tribunal.

**facture** [faktyr] n. f. Écrit par lequel le vendeur fait connaître à l'acheteur le détail et le prix des marchandises vendues : *Présenter une facture. Régler la facture.* ◆ **facturer** v. tr. Établir la facture d'une marchandise vendue : *Il n'a pas encore facturé cette commande.* ◆ **facturation** n. f.

Dictionnaire du français contemporain.

■ **160**

**TÉLÉMATIQUE** n. f. (de *télécommunications* et *informatique*). Ensemble des techniques et des services qui associent les télécommunications et l'informatique. ◆ adj. Qui relève de la télématique. ■ ENCYCL. Les nouveaux services offerts par la télématique s'appuient sur un réseau de télécommunication (en France, il s'agit généralement de TRANSPAC). Sur ces réseaux sont branchés des serveurs auxquels les utilisateurs ont accès, grâce à des terminaux formés d'un clavier alphanumérique et d'un écran de visualisation (par ex. Minitel). Parmi les services de télématique offerts au public figurent, par exemple : l'annuaire téléphonique électronique ; la télécopie ; la téléécriture ; le télétexte ; Télétel* ; le paiement* électronique et divers services bancaires.

Grand Dictionnaire Larousse.

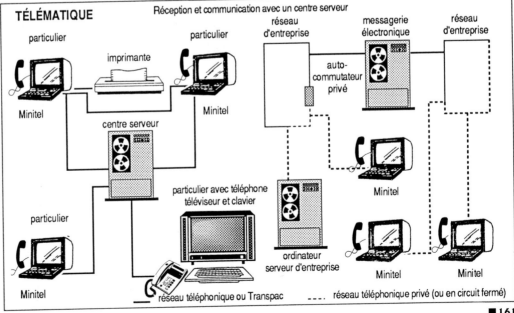

TÉLÉMATIQUE
Réception et communication avec un centre serveur

particulier — imprimante — particulier — réseau d'entreprise — messagerie électronique — réseau d'entreprise

Minitel — Minitel — autocommutateur privé

centre serveur

particulier avec téléphone téléviseur et clavier — Minitel

particulier — ordinateur serveur d'entreprise — Minitel — Minitel

Minitel — réseau téléphonique ou Transpac — ----  réseau téléphonique privé (ou en circuit fermé)

■ **161**

# SCÉNARIO TYPE : PROBLÈMES DE LANGUE

**VOUS NE COMPRENEZ PAS OU VOUS COMPRENEZ MAL :**

Pardon ? Excusez-moi ? Vous dites ?
Excusez-moi, je ne comprends pas / je n'ai pas compris.

Vous pouvez répéter, s'il vous plaît ?
Parlez (plus) lentement, s'il vous plaît.

**VOUS NE COMPRENEZ PAS UN MOT :**

Qu'est-ce que ça veut dire...?
Je n'ai pas compris / je ne comprends pas ce mot.

**VOUS CHERCHEZ UN MOT / UNE EXPRESSION :**

Comment dit-on / ça se dit / vous dites ça en français ? (+ geste pour montrer ou mot ou expression dans une autre langue).
J'ai oublié le mot français / comment on dit en français pour... ?
Comment peut-on traduire l'expression... ?

**VOUS NE SAVEZ PAS COMMENT PRONONCER :**

Comment on prononce ? / vous prononcez ce mot ? / Ça se prononce comment ? / Ça se prononce comme ça s'écrit ? / Cette lettre ne se prononce pas ?

**VOUS EXPLIQUEZ :**

C'est quelque chose qui sert à... / qu'on utilise pour... / qu'on fait quand on...
C'est la personne qui... / celui qui...
C'est (un peu) comme... mais c'est plus / moins...
C'est très différent de... Ça ressemble à...

## LES DIFFÉRENTES FORMES D'ENTREPRISES

| | Entreprise individuelle | Société en nom collectif S.N.C. | Société à responsabilité limitée S.A.R.L. | Société anonyme S.A. |
|---|---|---|---|---|
| Les associés | un seul | 2 minimum | 2 min., 50 max. | 7 minimum |
| Le capital minimum | pas de capital | libre | 50 000 F (parts) | 250 000 F (actions) |
| La responsabilité | entrepreneur responsable sur ses biens personnels | associés responsables ensemble sur leurs biens personnels | associés responsables ensemble dans la limite de leur part dans la société | |
| La gestion | l'entrepreneur ou un gérant | un gérant | un gérant | un directeur ou P.-D.G., ou un directoire de 1 à 5 personnes |
| Le contrôle de la gestion | | | | |

■162

# SCÉNARIO 1

**Un Français est en voyage d'affaires à l'étranger, il explique ce qu'il fait.**

[cassette] À VOUS ! Écoutez puis continuez la conversation :

– Je suis gérant d'une petite S.A.R.L. et je...
– Pardon, je ne comprends pas, vous avez dit « gérant » ?
– Oui, c'est celui qui gère... vous comprenez « gérer » ?
– Euh... non...
– Et « gestion », vous comprenez ?
– Non...
– Non plus ?... Bon, alors dans une S.A.R.L., il y a...
– Dans une quoi ? Je ne comprends pas ce mot...
– Ah... pfff... c'est difficile à expliquer... S.A.R.L., ce sont des initiales...
– Qu'est-ce que ça veut dire « initiales » ?
– Initiales ? Euh... c'est vraiment compliqué... Vous n'avez pas de dictionnaire ? Initiales, ce sont des lettres...
– Ah ! Alors les S.A.R.L. sont des lettres ?
– Euh... non, une S.A.R.L. est une société qui...

• Regardez le document 162, comparez avec les formes d'entreprises dans votre pays.

# SCÉNARIO 2

**La conversation avec le Français continue.**

[cassette] À VOUS ! Répondez à la question du Français... mais c'est difficile à expliquer, et vous cherchez vos mots, bien sûr.

# SCÉNARIO 3

**Un stagiaire étranger travaille dans une entreprise française. Il ne comprend pas tout et il pose beaucoup de questions.**

[cassette] À VOUS !
• Quel mot le stagiaire ne comprend-il pas ?
• Le stagiaire ne comprend pas les mots « bon de commande » et « facture ». Imaginez la conversation.

3. Regardez l'article de dictionnaire qui explique « télématique » (document 161), essayez de comprendre ce que c'est, posez des questions, puis expliquez à quelqu'un qui n'a pas vu l'article.

4. Complétez et jouez la conversation.

– Excusez-moi, je suis étranger, et...
– ...................................................
– Je suis étranger !
– ...................................................
– Ah... vous aussi !
– ...................................................
– Ah... moi non plus. On peut chercher ensemble.
– ...................................................
– Ensemble... je veux dire vous et moi, vous comprenez ?
– ...................................................
– Non, vous ne comprenez pas ? Ou non, vous ne voulez pas ?
– ...................................................

# BILAN

## 1. Trouvez ce qui a pu être dit avant et ce qui peut être dit après :

– C'est trop difficile à expliquer.
– Non, je ne sais pas comment ça se prononce... ce n'est pas du français.
– Non, pas tout, vous pouvez parler plus lentement ?
– À comprendre non, à traduire, oui !
– Gratuitement.
– Non, c'est très différent.
– Seulement avec un dictionnaire.

## 2. Devinettes : qu'est-ce que c'est ? / qui est-ce ?

– C'est quelque chose qu'on utilise pour écrire ses rendez-vous.
– On y va pour acheter quelque chose.
– On s'en sert pour parler à quelqu'un qui est loin.
– C'est un papier qu'on envoie dans une enveloppe.
– C'est une personne qui fait des études.
– C'est un local pour les voitures.
– On la fait quand on veut protester, par exemple parce que l'appareil qu'on a acheté ne marche pas.
– On le fait quand quelqu'un ne comprend pas dans une langue.
**Trouvez d'autres devinettes...**

5. Vous recevez un Français chez vous ou dans votre entreprise. Qu'est-ce qui va être différent pour lui ? Qu'est-ce que vous allez devoir lui expliquer ? Imaginez une ou plusieurs conversations : le Français pose beaucoup de questions et vous, vous cherchez vos mots pour expliquer.

6. Regardez le document 163. C'est une publicité pour :
• l'agriculture,
• un dictionnaire,
• un musée.

■ 163

# 20. POUVEZ-VOUS LUI EXPLIQUER QUE... ?

■164

## ORDRE DU JOUR

### 1. LE DISCOURS INDIRECT : DIRE QUE... / RÉPONDRE QUE

– L'usine est fermée.
– Qu'est-ce que vous dites ?
– Je dis que l'usine est fermée.
– J'ai pris mon billet hier.
– Qu'est-ce qu'il dit ?
– Il dit qu'il a pris son billet hier.

**À VOUS ! Continuez avec :**
Je ne comprends pas. J'en voudrais deux. Mon bureau est à côté. Je n'ai rien vendu. J'ai oublié mon agenda.

### 2. LE DISCOURS INDIRECT :

#### DEMANDER SI...

– **Vous avez fait** bon voyage ?
– Qu'est-ce qu'il dit / demande ?
– Il (vous) demande si vous avez fait bon voyage.
– **Est-ce qu'**il y a un téléphone ici ?
– Qu'est-ce qu'il dit / demande ?
– Il demande s'il y a un téléphone ici.

### DEMANDER CE QUE

– **Qu'est-ce que** vous préférez ?
– Qu'est-ce qu'il dit / demande ?
– Il (vous) demande ce que vous préférez.
– Elle fabrique **quoi** ?
– Qu'est-ce qu'il dit / demande ?
– Il demande ce qu'elle fabrique.

### DEMANDER QUOI, QUI, AVEC QUI, QUAND, COMMENT, POURQUOI, OÙ, COMBIEN

– **De quoi** est-ce que vous avez besoin ?
– Qu'est-ce qu'il dit / demande ?
– Il (vous) demande de quoi vous avez besoin.
– Elle travaille **où** ?
– Qu'est-ce qu'il dit / demande ?
– Il demande où elle travaille.

**À VOUS !** Regardez l'ordre du jour 3 du dossier 18 (p. 81) et transformez les questions.

### 3. LES PRONOMS LUI, LEUR

LUI = À + IL / ELLE
– Vous téléphonez à M. Germain ?
– Oui, je lui téléphone demain. (lui = à M. Germain)

LEUR = À + ILS / ELLES
– Vous avez donné la note **aux** associés ?
– Oui, je leur ai donné la note hier. (leur = aux associés)

🔲 **À VOUS ! Continuez avec :**
envoyer la facture aux clients portugais, donner la lettre au directeur, commander un appareil à l'usine, répondre à la cliente d'Athènes, expliquer la différence aux chefs de service, épeler mon nom au visiteur, confirmer la réservation à l'agence de l'aéroport, dire les prix à l'agent immobilier, fixer un rendez-vous à la trésorière...

**SANDELIN   S.A.R.L.**
11, avenue de la Liberté
67000  Strasbourg

N/Ref. AW/CB 017

Société Guy DUBUIS
47, Quai de Rhin
62100 CALAIS

Messieurs,

Je vous ai envoyé le 24/ 02 une commande de 20 caves à vin (8 modèles de la référence 453324).
J'aimerais savoir si vous l'avez reçue, car vous ne m'avez pas répondu. D'autre part, je voudrais modifier cette commande: je souhaiterais six modèles seulement de la référence 453324, et six de vos nouveaux modèles ref. 453426. Merci de me faire savoir si c'est possible, et de me préciser quand la livraison peut avoir lieu.

■165

PROCES-VERBAL DE LA RÉUNION DU COMITÉ DE L'ASSOCIATION

La séance est ouverte à 14 h.
Présents :
Absents excusés :
Absents : aucun

**1.Le changement de locaux pour le siège de l'association.**
Le président explique pourquoi il faut changer de locaux: les locaux actuels sont très vieux et la réparation trop chère.
Mme Genon demande s'il faut chercher des locaux aussi grands ou plus grands.
Le président répond que le problème est de trouver des locaux plus grands mais moins chers.
Le trésorier dit que c'est très difficile à trouver et précise que l'association n'a payé jusqu'à maintenant que 6 % de son budget en loyer, ce qui est très peu : on peut, à son avis, payer un loyer de 10 % environ.
M. Faure dit que, comme association, on peut facilement obtenir une réduction de loyer.
Le président demande s'il a une idée.
M. Faure demande où il faut chercher et quand il faut quitter les locaux actuels.
Le président répond que les locaux actuels doivent être libres le 1er mai et que le centre ville est la meilleure solution.

■166

# SCÉNARIO TYPE : CONVERSATION PAR UN INTERMÉDIAIRE (OU AVEC UN INTERPRÈTE)

| | |
|---|---|
| Dites-lui / leur que... | Il dit / répond que... |
| Demandez-lui / leur si... | Il demande si / où / pourquoi... |
| Demandez où / pourquoi / comment... | Il veut savoir si / où / pourquoi... |
| Expliquez-lui bien que... | Il ne sait pas si / où / pourquoi... |
| Qu'est-ce qu'il dit / répond / demande ? | Il répète / confirme que... |
| Vous pouvez lui / leur demander expliquer / répondre / dire / confirmer... | Il écrit que... |

## SCÉNARIO 1

**Dans l'entreprise Guy DUBUIS, au service commercial. Une assistante répond au téléphone à un client. Après un moment de conversation, elle appelle son chef par l'interphone.**

🔲

– Ne quittez pas, je me renseigne... Allô, monsieur Berthet ? J'ai monsieur Orlando, au téléphone...
– Qu'est-ce qu'il veut ?
– Il demande pourquoi il n'a pas reçu sa commande.
– Mais enfin, on lui a déjà écrit !... Vous pouvez lui expliquer que sa commande ne va pas partir d'ici avant deux semaines ?
– Allô! Je suis désolée, mais monsieur Berthet dit que votre commande ne va pas partir avant deux semaines. ... Ne quittez pas.
– Il demande pourquoi.
– Mais je lui ai déjà expliqué ! C'est une commande spéciale : des appareils que nous n'avons pas en stock, il faut les fabriquer spécialement pour lui, nous devons commander des pièces à l'étranger... il faut du temps !
– Allô! monsieur Berthet dit que c'est une commande spéciale,...

**À VOUS ! Continuez la conversation.**

## SCÉNARIO 2

**Nous sommes encore dans l'entreprise Guy DUBUIS.**

🔲 **À VOUS !**
• Écoutez la conversation entre monsieur Berthet et l'assistante.
• Continuez la conversation (voir document 165).

## SCÉNARIO 3

Une réunion du comité de l'association HUMAN-AIDE a, à l'ordre du jour, le changement de locaux du siège.

À partir de l'extrait du procès-verbal de la réunion (document 166), imaginez et jouez un moment de cette réunion.

## SCÉNARIO 4

Autre réunion : celle des chefs de service de la Société TRANSFLOT.

🔲 À VOUS ! Écoutez un moment de la réunion et faites-en le procès-verbal.

## BILAN

**1. Trouvez ce qui a pu être dit avant et ce qui peut être dit après :**

– Rien, je ne dis rien.
– Vous me demandez pourquoi ? Mais je ne sais pas !
– Ce que je veux faire ? Dites-lui que je ne sais pas encore.
– Je leur parle chaque jour au téléphone.
– Pourquoi lui demander ? Je sais déjà qu'il n'est pas d'accord.
– Lui téléphoner ? Mais non, je vais lui envoyer un fax, c'est mieux.

**2.** 🔲 À l'accueil de l'entreprise TRANSFLOT, l'employé reçoit un stagiaire. Il téléphone au responsable. Écoutez la conversation et continuez-la (voir document 168).

**3. Vous êtes dans un pays dont vous ne connaissez pas la langue, avec un collègue qui, lui, la connaît très bien. Imaginez une situation où quelqu'un du pays vous pose beaucoup de questions, et votre collègue traduit.**

**4. Vous êtes responsable d'une entreprise dans votre pays, et vous recevez une lettre d'un client étranger qui vous propose son fils ou sa fille comme stagiaire pour cet été. Vous demandez à un traducteur de votre entreprise d'écrire la lettre de réponse, et vous dites ce qu'il doit écrire :**

Dites-lui que je suis désolé, expliquez-lui que,... demandez-lui pourquoi...

■ 167

SOCIÉTÉ TRANSFLOT                                         ÉTÉ 199□

### NOTE AUX ÉTUDIANTS STAGIAIRES

QUELQUES INFORMATIONS
Les stages durent cette année du 1er juillet au 15 septembre.
Le salaire est de 3 500 F par mois.

À VOTRE ARRIVÉE, LE PREMIER JOUR
– Vous avez déjà été stagiaire chez TRANSFLOT : prenez contact avec le chef du service où vous travaillerez (voir la lettre jointe), et remettez-lui la lettre de votre école ou université.
– Vous travaillez chez TRANSFLOT pour la première fois : vous devez aller au service de la comptabilité (Madame Robert) avec un relevé d'identité bancaire et la lettre de votre université.

■ 168

# 21. COMMENT VONT LES AFFAIRES ?

> **INNOVA**, c'est :
>
> – le spécialiste de l'article de sport,
> – la plus grande surface de vente de la ville,
> – la vente à crédit aux meilleures conditions.

■169

## ORDRE DU JOUR

### 1. LE SUPERLATIF (LE PLUS... ≠ LE MOINS...)

Le CA **le plus important** a été réalisé en 1987 = Les ventes ont atteint leur maximum en 1987 = L'année où JEANDU a vendu **le plus de** bateaux a été 1987 (= 1987 a été l'année où JEANDU en a vendu **le plus**).

Attention !

bon → meilleur → le meilleur :
le meilleur bateau... / le bateau le meilleur...

Les ventes **les moins importantes** ont été réalisées en 1992 = Le CA a atteint son minimum en 1992 = L'année où JEANDU a vendu **le moins de** bateaux a été 1992 (= C'est en 1992 que JEANDU en a vendu **le moins**).

### 2. LA CAUSE

**parce que = car** (cause neutre, réponse à « Pourquoi ? »)

**comme = étant donné que** (cause logique, obligation)

**grâce à** (cause positive)

→ Le franc baisse **parce que** les banques vendent leurs francs.

→ **Étant donné que** le franc baisse, ils vendent plus à l'étranger.

→ **Grâce à** la baisse du franc, ils vendent plus à l'étranger.

### 3. L'IMPARFAIT

| | | | |
|---|---|---|---|
| je | ...ais | nous | ...ions |
| tu | ...ais | vous | ...iez |
| il / elle / on | ...ait | ils / elles | ...aient |

On trouve l'**imparfait** à partir du **présent** (**vous**)

| Infinitif | Présent | Imparfait |
|---|---|---|
| Vouloir : | vous **voul**ez → | je **voul**ais, vous **voul**iez... |
| Choisir : | vous **choisiss**ez → | je **choisiss**ais... |

Exceptions :  **faire** :  je **faisais**
**dire** :  je **disais**

**Avant, quand j'étais** étudiant, je **faisais** du sport...
**L'année dernière, j'étais** chez Berthin. **C'était** plus agréable.
**Il y a deux ans, j'habitais** à Athènes. **J'aimais** bien manger au restaurant tard le soir.
**Quand j'étais** aux Pays-Bas, je **visitais** souvent les musées, c'**était** intéressant.

[▭▭]  **À VOUS ! Écoutez et continuez avec :**
habiter ici, voyager beaucoup, accueillir des stagiaires, avoir une voiture, utiliser un ordinateur, faire des réductions.

## SCÉNARIO TYPE : PRÉSENTER UNE ÉVOLUTION

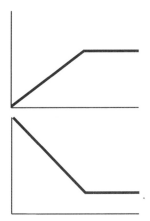

Les ventes augmentent faiblement / Il y a une faible augmentation des ventes / elles deviennent de plus en plus importantes.
Les ventes de mai étaient supérieures à celles de mars / elles dépassaient celles de mars.
Les ventes atteignent leur maximum.
Les ventes restent / sont stables : elles n'évoluent pas.

Les ventes diminuent / baissent fortement / forte baisse / diminution des ventes / elles deviennent de moins en moins importantes.
Les ventes d'août étaient inférieures à celles de juin / plus faibles que celles de juin.
Les ventes stagnent. / Il y a une stagnation des ventes.

atteignent ? → voir verbe ATTEINDRE p. 129

## SCÉNARIO 1

La S.A. JEANDU fabrique des bateaux depuis 1949, à La Rochelle, dans deux ateliers très modernes.

Dans le plus petit des deux, JEANDU produit des planches à voile. Comme ces planches sont des modèles bon marché, solides, stables, mais en même temps assez rapides, les plus gros clients sont des associations sportives et des clubs de vacances. Cet atelier produit 9 000 planches par an, et 6 modèles différents : pour moins de 11 ans, 12-16 ans, plus de 17 ans, et modèles débutant, standard et sportif. Étant donné que la demande de ce type de planches augmente encore, le second atelier a commencé à en produire aussi.

L'autre atelier produit surtout des bateaux à voile et à moteur de 4 à 7 mètres.

**À VOUS !** Proposez une suite à cette brochure, regardez le document 171 (production de petits bateaux traditionnels en plastique).

# SCÉNARIO 2

🔲 À VOUS !

• Écoutez la présentation de JEANDU S.A. à la chambre de commerce et d'industrie de La Rochelle.

• Vous êtes directeur / directrice de la communication de S.A. JEANDU. Vous répondez aux questions d'un journaliste qui n'était pas présent à la présentation de JEANDU S.A. par Jean Tournu à la chambre de commerce et d'industrie de La Rochelle.

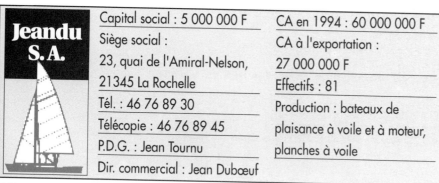

| **Jeandu S.A.** | Capital social : 5 000 000 F | CA en 1994 : 60 000 000 F |
| | Siège social : 23, quai de l'Amiral-Nelson, 21345 La Rochelle | CA à l'exportation : 27 000 000 F |
| | Tél. : 46 76 89 30 | Effectifs : 81 |
| | Télécopie : 46 76 89 45 | Production : bateaux de plaisance à voile et à moteur, planches à voile |
| | P.D.G. : Jean Tournu | |
| | Dir. commercial : Jean Duboeuf | |

■171

# SCÉNARIO 3

La société JOUET-FRANCE fabrique des jouets. Étant donné que les ventes de jouets sont, comme on le sait, saisonnières mais qu'on travaille toute l'année, le crédit de la banque est important pour cette société.

🔲 À VOUS !

• Regardez le graphique d'évolution des ventes sur une année (document 172).

• Écoutez et continuez le graphique, puis commentez.

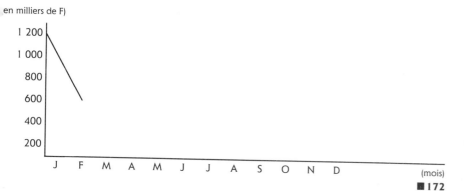

(en milliers de F)

■172

Cette année, en janvier, les ventes ont fortement diminué. En février, mars et avril,...

# SCÉNARIO 4

## LES COMPTES

| **Recettes** | **Dépenses** |
|---|---|
| ventes 39 % | papier 10 % |
| | fabrication 31,5 % |
| abonnements 11,5 % | rédaction (journalistes) 16 % |
| publicité 25 % | vente (distribution) 31 % |
| petites annonces 24,5 % | autres 11,5 % |

■173 A

Les recettes des ventes d'un journal (39 %) sont presque égales aux dépenses de distribution (31 %). (D'après les comptes du *Monde*.)

## L'ÉVOLUTION

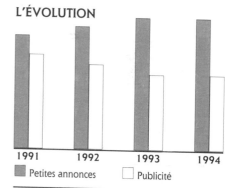

■173 B

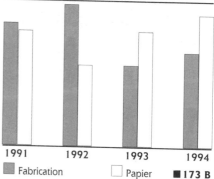

À VOUS ! Vous êtes le directeur d'un journal. Vous présentez pour vos lecteurs les comptes (document 173 A) et l'évolution sur les quatre dernières années (document 173 B) : baisse de la publicité, augmentation du prix des annonces, chiffre des ventes stable, atteindre son maximum / son minimum, etc.

# BILAN

1. Fabriquez l'annonce d'une (de votre) société pour un annuaire professionnel français, ainsi que des slogans (voir documents 170 et 169).

2. Vous travaillez chez RENAULT. On vous demande comment vont les affaires (voir document 174).

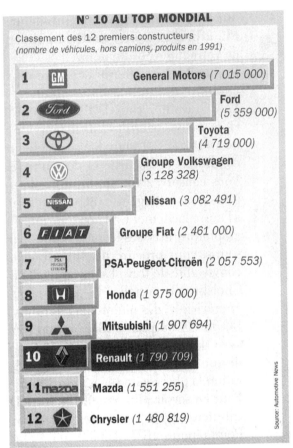

**N° 10 AU TOP MONDIAL**

Classement des 12 premiers constructeurs
*(nombre de véhicules, hors camions, produits en 1991)*

1 GM **General Motors** *(7 015 000)*
2 Ford **Ford** *(5 359 000)*
3 Toyota **Toyota** *(4 719 000)*
4 VW **Groupe Volkswagen** *(3 128 328)*
5 NISSAN **Nissan** *(3 082 491)*
6 FIAT **Groupe Fiat** *(2 461 000)*
7 PSA **PSA-Peugeot-Citroën** *(2 057 553)*
8 Honda **Honda** *(1 975 000)*
9 Mitsubishi **Mitsubishi** *(1 907 694)*
10 Renault **Renault** *(1 790 709)*
11 mazda **Mazda** *(1 551 255)*
12 Chrysler **Chrysler** *(1 480 819)*

Source: Automotive News

**DES EFFECTIFS EN BAISSE**

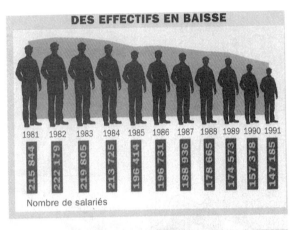

| 1981 | 1982 | 1983 | 1984 | 1985 | 1986 | 1987 | 1988 | 1989 | 1990 | 1991 |
|---|---|---|---|---|---|---|---|---|---|---|
| 215 844 | 222 179 | 219 805 | 213 725 | 196 414 | 196 731 | 188 936 | 178 665 | 174 573 | 157 378 | 147 185 |

Nombre de salariés

**11 ANS DE PRODUCTION**

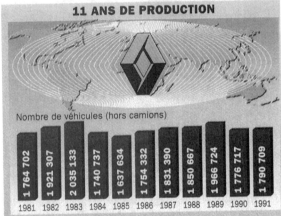

Nombre de véhicules (hors camions)

| 1981 | 1982 | 1983 | 1984 | 1985 | 1986 | 1987 | 1988 | 1989 | 1990 | 1991 |
|---|---|---|---|---|---|---|---|---|---|---|
| 1 764 702 | 1 921 307 | 2 035 133 | 1 740 737 | 1 637 634 | 1 754 332 | 1 831 390 | 1 850 667 | 1 966 724 | 1 776 717 | 1 790 709 |

**40 CV. 1908-1928.** Le haut de gamme de la marque et l'une des voitures de Sacha Guitry. Plusieurs records du monde à Montlhéry.

**6 CV NN. 1924-1929.** Un succès commercial. Premières productions en grande série. La pionnière des voitures de tourisme à traverser le Sahara.

**4 CV. 1947-1961.** La première voiture française à dépasser le million d'unités. Victoires, dans sa catégorie, au Mans, à Monte-Carlo et aux Mille Miles.

■174

# 22. POINTS DE VUE

■175

## ORDRE DU JOUR

■176

### . IMPARFAIT OU PASSÉ COMPOSÉ ?

**'ai rencontré** le professeur Nyberg quand **je travaillais** chez ALFA-AVAL.

**était** deux heures quand **j'ai reçu** appel téléphonique de Nyberg.

■177

### 2. LE DISCOURS INDIRECT AU PASSÉ

DIRE / RÉPONDRE / DEMANDER... AU PASSÉ

→ DEUXIÈME VERBE À L'IMPARFAIT

Il dit qu'il est d'accord.
   **Il a dit / il disait** qu'il **était** d'accord.
Il demande pourquoi vous refusez.
   **Il demandait / a demandé** pourquoi vous **refusiez.**
Il m'explique comment ça marche.
   **Il m'a expliqué** comment ça **marchait.**

🔲 À VOUS ! Continuez avec :
acheter un immeuble, vouloir visiter une usine, pouvoir envoyer un projet, vouloir payer la facture, garantir la qualité, rembourser la commande...

## SCÉNARIO TYPE : DONNER SON POINT DE VUE

Quel est votre avis ?
Quelle est votre opinion ?
Qu'est-ce que vous en pensez ?
Quel est votre point de vue ?
Vous êtes d'accord avec... ?
Vous êtes sûr(e) ?
Vous en êtes certain ?
Comment trouvez-vous ce/cette... ?

À mon avis... / D'après moi...
Je crois que... / Il me semble que...
Je pense que... / Je suis sûr(e) et
certain(e) que... / Je vous garantis
que...
Je me demande si...
Je ne sais pas si...
Je ne suis pas du tout d'accord...
Je le / la trouve...

> crois ? → voir verbe CROIRE p. 129

## SCÉNARIO 1

🔲 À VOUS !
• Écoutez la conversation.
• Imaginez maintenant que c'est un ingénieur plus optimiste qui a rencontré les clients, et rejouez cette conversation.

---

CENTRE DE RECHERCHES AGRONOMIQUES
36, Cours de la Libération
38000 Grenoble

Paul Lantier au Directeur de Solami

Monsieur le Directeur

Je vous remercie beaucoup pour la visite que j'ai pu faire
dans votre entreprise. Je l'ai trouvée très intéressante, et
les personnes que j'ai rencontrées étaient très sympathiques.
Je me réjouis de travailler avec vous, et avant de signer
le contrat, je voudrais préciser trois points que je crois
importants.
Il me semble que je dois être le seul responsable du projet,
et que je dois pouvoir travailler dans vos locaux au moins
deux jours par semaine. Il me faut donc un bureau et
deux secrétaires. Je pense aussi que vos ingénieurs et
techniciens concernés par notre projet doivent tous venir
faire un stage chez nous (un an pour les ingénieurs, six mois
pour les techniciens). D'autre part les personnes

*[Annotations manuscrites :]*
NON !
il faut un responsable de chez eux et un de chez nous
— d'accord
OK pour le bureau, mais une secrétaire suffit.
3 mois et 2 mois

■ 17

## SCÉNARIO 2

À VOUS ! Regardez la lettre (document 178). Le directeur a écrit des remarques en marge. Écrivez une réponse en tenant compte de ces remarques. Soyez diplomate !

## SCÉNARIO 3

À VOUS ! Lisez le document 179. Vous êtes le délégué du personnel. Après la réunion, vous faites une note pour les ingénieurs.

Note à l'attention de la direction

Objet : réunion avec le délégué du personnel au sujet du salaire des ingénieurs débutants.

Actuellement, un ingénieur commence chez nous à 17 000 F/mois et son salaire reste au même niveau pendant les 5 premières années. Le personnel désire que le salaire des débutants commence à évoluer plus vite.
Le personnel accepte le salaire de départ car il est normal dans notre branche, mais notre entreprise gagne beaucoup d'argent depuis 3 ans, le délégué du personnel a déclaré que nous pouvions proposer des salaires plus intéressants après 2 ans, pour les débutants. D'après lui, la "facture" ne peut être importante parce que notre entreprise n'a pas beaucoup de débutants.

Je lui ai rappelé que cette demande n'était pas nouvelle : nous en avions déjà discuté l'an dernier. Nous ne refusons pas de l'écouter et d'en discuter, mais nous ne pouvons pas être d'accord. Je lui ai répété que nous ne désirions pas avoir une évolution des salaires trop différente de la norme de notre branche, qu'il était vrai que nous avions beaucoup de commandes, mais que c'était grâce à notre service commercial et pas spécialement grâce à nos ingénieurs débutants. De plus, c'était une erreur de croire que le succès actuel du service commercial allait durer longtemps.

Il a insisté. Moi aussi. Je crois que le délégué essayait de marchander pour passer de 5 à 3 ou 4 ans. Devons-nous accepter un marchandage (4 ans étant le minimum pour nous et le maximum pour eux) ? À mon avis, c'est possible et ce n'est pas une catastrophe.
La réunion a été difficile, mais le délégué est resté calme.

Le chef du personnel

■179

## SCÉNARIO 4

[cassette] À VOUS ! Écoutez le discours de début d'année du directeur de JEANDU.

« Bien, je voudrais seulement dire quelques mots, en ce début d'année, qui, vous le savez, est difficile pour notre entreprise. Bien sûr, nous ne sommes pas la seule entreprise en situation difficile, dans notre secteur d'activité.

Mais je pense que nous pouvons obtenir de meilleurs résultats. Je suis même sûr que nous pouvons faire mieux. Et je suis certain que vous êtes tous d'accord pour faire mieux.

Comment pouvons-nous obtenir de meilleurs résultats ? La réponse est simple : c'est la qualité. Nous devons garantir la qualité à nos clients : nos produits, c'est vrai, nos services aussi, sont de qualité, mais peut-on faire encore mieux ? À mon avis, on le peut. Tout le monde doit se demander s'il peut mieux faire son travail : mieux et plus vite. Et pour moi, la qualité du travail, c'est aussi la qualité des relations, de la communication entre nous : comment peut-on mieux travailler ensemble ?

Est-il possible de se comprendre plus vite ? Quelles sont les informations dont nous avons tous besoin ?

Qui est responsable de quoi ? Comment ça se passe dans ce service ? Je trouve ces questions très importantes, et je ne sais pas si tous peuvent répondre. Qui peut répondre à toutes ces questions ? Nous devons tous réfléchir pour trouver des solutions pour améliorer la communication, la qualité de notre communication, entre nous et avec nos clients. Je souhaite une bonne année à tous. »

À VOUS ! Vous travaillez chez JEANDU et vous avez assisté au discours du directeur. Un de vos collègues n'y était pas. Il vous pose des questions : « Alors, qu'est-ce qu'il a dit ? » Répondez-lui.

■180

# BILAN

1. Vous avez assisté à une conversation difficile (choisissez les personnes et le sujet de conversation). Vous rapportez cette conversation à un collègue qui n'était pas là. (Il a dit que... Il a demandé si... Il a répondu que...)

2. Donnez votre avis et discutez entre vous.

• D'après vous, qu'est-ce qu'ACTI-MON devait choisir ? (Dossier 17, scénario 1, p. 79.)

• Êtes-vous d'accord avec le vendeur ou avec le client ? (Dossier 18, scénario 1, p. 82.)

• Est-ce qu'il vous semble que le directeur de l'hôtel a raison ? (Dossier 18, scénario 3, p. 83.)

3. Vous connaissez bien maintenant la S.A. JEANDU (dossier 21, scénarios 1 et 4, pp. 99 et 100). Vous savez, de plus, que le petit atelier était loué et que le grand atelier était acheté. D'autre part, JEANDU a loué un stand au Salon du bateau de plaisance à Paris (dépense : 500 000 F par an). La société a gagné 8 % sur les ventes des planches, et 1,5 % sur celles des bateaux traditionnels. Cette année, les dépenses de JEANDU ont dépassé les recettes.

■181

Discutez entre vous et choisissez la meilleure solution.

• Pensez-vous que JEANDU devait vendre son grand local pour le louer ensuite ?

• Êtes-vous sûr qu'il fallait continuer la fabrication des bateaux traditionnels ?

• Croyez-vous que JEANDU pouvait baisser encore un peu le prix de vente des planches pour essayer d'en vendre plus ?

• Avez-vous une autre idée ?

4. À votre avis, ces photos (documents 180 et 181) sont des publicités pour quoi ? Discutez.

# 23. PROJETS PROFESSIONNELS

**veulent une formation adaptée
leurs projets**

LE CONSEIL
RÉGIONAL
DE PICARDIE

■ 182

■ 183

## ORDRE DU JOUR

### 1. LE FUTUR SIMPLE

(Voir aussi le futur proche, dossier 9, p. 41.)

INFINITIF + **TERMINAISON**

| | | |
|---|---|---|
| Je travaill**er** | **ai** | demain. |
| Il lou**er** | **a** | l'année prochaine. |
| Nous chois**ir** | **ons** | dans deux jours. |
| Vous répond**r**(e) | **ez** | prochainement. |
| Elles prend**r**(e) | **ont** | leurs congés bientôt. |

QUELQUES VERBES IRRÉGULIERS (les terminaisons restent régulières)

| | | | |
|---|---|---|---|
| avoir → j'aurai | devoir → nous devrons | pouvoir → je pourrai |
| être → elle sera | faire → vous ferez | envoyer → il enverra |
| aller → on ira | vouloir → ils voudront | venir → vous viendrez |
| recevoir → nous recevrons | payer → ils paieront | appeler → on appellera |
| voir → je verrai | obtenir → vous obtiendrez | |

🔲 À VOUS ! Continuez.

avoir le fax → recevoir ma lettre, envoyer la commande, pouvoir réparer, être prêt, venir travailler, avoir du temps libre, faire la facture, regarder le dossier, ...

La semaine prochaine → l'an prochain, demain, après-demain, dans trois jours, bientôt, ...

## SCÉNARIO TYPE : SOUHAITS, PROJETS ET PRÉVISIONS

Quels sont vos projets ?
Que souhaitez-vous ?
Qu'est-ce qu'on prévoit ?
Comment voyez-vous
votre travail/la situation/
votre entreprise dans
10 ans ?

Je souhaite/voudrais/aimerais travailler ici
pour rester près de ma famille.
J'espère que le travail sera intéressant.
J'espère trouver du travail/devenir directeur...
On prévoit que l'entreprise deviendra internationale.
Nous avons un seul objectif : réduire le chômage.
Je suis prêt à travailler plus.

Si c'est possible, j'ai l'intention d'apprendre ...
Si je deviens directeur, je vous prendrai comme chef de service.
Dans quelques années, nous serons peut-être/probablement/sans doute les premiers sur le marché.

+ Apprendre d'autres langues
++ Travailler avec des gens d'autres nationalités
OK. voyager beaucoup (sans famille).
++ séjours à l'étranger
+? les changements
+ -? gérer un budget
? Travailler seul (peut-être)
+++ rencontrer de nouvelles personnes

■184

## L'EVOLUTION DES TAUX DE CHOMAGE (Pourcentage de la population active)

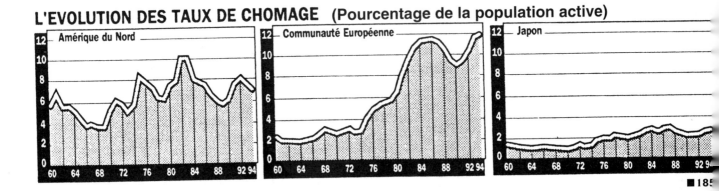

■185

## SCÉNARIO 2

🔊 À VOUS ! Écoutez le début de l'entretien et continuez-le d'après les notes qu'a préparées celui qui a répondu à l'annonce (document 184).

## SCÉNARIO 3

LES FRANÇAIS 1992 : OPTIMISME INDIVIDUEL ET PESSIMISME COLLECTIF

| | ENSEMBLE | | PAR SEXE (optimistes*) | |
|---|---|---|---|---|
| | Optimistes | Pessimistes | H | F |
| Votre avenir personnel | 68 | 31 | 70 | 67 |
| L'avenir de la France | 29 | 70 | 31 | 26 |
| L'avenir de l'Europe | 34 | 64 | 38 | 31 |
| L'avenir du monde | 20 | 78 | 19 | 21 |

■187

© Francoscopie/Sécodip

À VOUS !
• Commentez le tableau (document 187). Comment vous situez-vous, personnellement ? Expliquez pourquoi.
• Comparez avec votre pays.

## SCÉNARIO 1

À VOUS !

• Décrivez et commentez les graphiques (document 185).
• Faites des prévisions sur l'évolution de la situation : soyez pessimiste, puis optimiste.
• Quels sont vos projets personnels dans ces conditions ?
• À partir de l'ensemble de vos remarques, imaginez la suite de l'article (document 186).

**CHÔMAGE, ENCORE ET TOUJOURS !**

Jusqu'à quand et jusqu'où le chômage augmentera-t-il ? Peu d'experts sont vraiment optimistes et prévoient une amélioration.
En effet, les gens achètent actuellement de moins en moins, et il y a donc une crise de la demande. Aussi, les entreprises n'investissent plus, et le chômage continuera sans doute à augmenter. Dans ces conditions, quelles peuvent être les stratégies de ceux qui cherchent du travail ou veulent changer d'emploi ? On constate deux tendances. Il y a ceux qui ont l'intention de …

■186

## SCÉNARIO 4

| VOTRE MÉTIER AU FUTUR | | |
|---|---|---|
| POINT DE VUE | D'ACCORD : POURQUOI ? | PAS D'ACCORD : POURQUOI ? |
| Le travailleur de l'an 2020 sera plus favorisé qu'aujourd'hui. | Il vivra mieux. Il travaillera moins. Il aura de meilleures conditions de travail. Il aura plus de temps libre et de loisirs. Il participera aux décisions de son entreprise. | Il devra changer de métier 3 ou 4 fois dans sa vie. Il y aura 3 fois plus de chômeurs qu'actuellement. Il devra accepter de travailler loin de chez lui, et même à l'étranger. Il y aura plus de machines qu'actuellement. |

■188

À VOUS !
• Lisez le tableau (document 188).
• Pour vous, quels sont les points les plus importants ? Donnez votre avis et discutez (aidez-vous du scénario type de la page 102).

## BILAN

**1. Trouvez ce qui a pu être dit avant et ce qui peut être dit après :**
– Non, mais je l'enverrai.
– Dans vingt ans au moins.
– L'année prochaine peut-être.
– Très prochainement, je vous le garantis.
– Peut-être bien que oui, peut-être bien que non...
– Voyager, si c'est possible.
– Je trouve votre question pessimiste.

---

**2. Complétez et jouez la conversation.**
– ..............................................
– J'aimerais travailler dans une petite entreprise.

– ..............................................
– Oui, parce que c'est dans les petites entreprises qu'on trouve les bons emplois, vous ne croyez pas ?

– ..............................................
– Oui, c'est ça, et en plus je pourrai habiter la campagne ou une petite ville.

..............................................
– Non, car j'ai l'intention d'avoir une grande famille.

..............................................
– Grâce à mon oncle qui connaît beaucoup de gens.

– ..............................................
– Après mon service militaire.

– ..............................................
– C'est pourquoi j'ai fait ces études.

---

**3. Imaginez une conversation entre une personne très optimiste et une personne très pessimiste sur :**
• Les risques d'être au chômage l'an prochain.
• Les chances de passer des vacances aux Seychelles.
• La possibilité de recevoir une grosse commande du Lichtenstein.
......

Si vous avez un projet dynamique,

Si vous ne voulez pas voir votre situation stagner,

Si vous cherchez la qualité de votre vie professionnelle,

### ENVOYEZ-NOUS VOTRE CV !

Si vous travaillez avec nous

Vous serez responsable de votre secteur d'activité

Vous aurez...

■189

**4. Regardez le document 189 et imaginez une suite (au moins cinq points).**

# 24. IL FAUT RESTRUCTURER

CE QUI EST IMPORTANT POUR NOUS
C'EST CE QUI EST IMPORTANT POUR VOUS
MÊME SI VOUS NE LE SAVEZ PAS ENCORE

■190

## ORDRE DU JOUR

### 1. CE QUI.../CE QUE...

Je suis d'accord avec **ce que** vous dites
(= vous dites ça + je suis d'accord avec ça).

**Ce que** je voulais expliquer, c'est que ça prend beaucoup de temps.

**Ce qui** va se passer, c'est que le franc suisse baissera.

Il ne comprend jamais **ce qui** est simple.

[▭] À VOUS ! Continuez.
Qu'est-ce que vous dites ? → Qu'est-ce qui ne va pas ? Qu'est-ce que vous faites ?
Qu'est-ce que vous voyez ? Qu'est-ce qu'il écrit ?
Comprendre → voir, pouvoir, lire...

### 2. CONDITION

**SI...**
**Si** nous n'obtenons pas de bons résultats cette année, nous devrons fermer l'usine de Nantes.

**MÊME SI...**
Nous baisserons les prix, **même si** nous perdons de l'argent !

**SAUF SI...**
C'est une bonne solution, **sauf si** les prix augmentent.

**À CONDITION DE ( + INFINITIF)**
C'est une bonne solution, **à condition de** ne pas augmenter les prix.

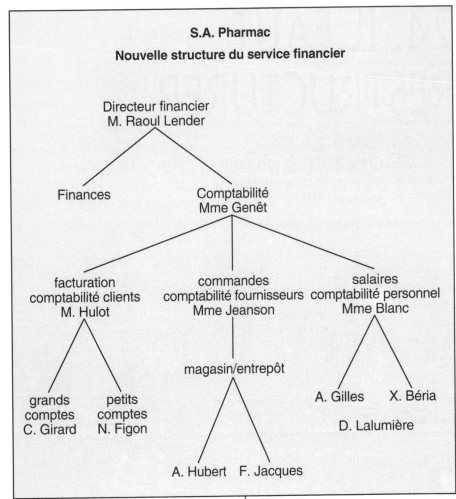

**S.A. Pharmac**

**Nouvelle structure du service financier**

Directeur financier
M. Raoul Lender

Finances

Comptabilité
Mme Genêt

facturation
comptabilité clients
M. Hulot

commandes
comptabilité fournisseurs
Mme Jeanson

salaires
comptabilité personnel
Mme Blanc

grands
comptes
C. Girard

petits
comptes
N. Figon

magasin/entrepôt

A. Gilles      X. Béria

D. Lalumière

A. Hubert    F. Jacques

■191

## Note du délégué syndical

Comme vous avez pu le lire dans la note du 15 mars, la direction a recruté Mme Allibert après le départ de M. Duport, ce qui est inadmissible parce que M. Tournu, chef des produits de beauté, était candidat et qu'il a huit ans d'ancienneté. Encore une fois, nous constatons que la direction a "réussi" une erreur catastrophique !

Nous ne connaissons pas Mme Allibert, et notre protestation n'est donc pas personnelle, mais il nous semble que

■192

## NOTE D'INFORMATION
## À L'ATTENTION DE L'ENSEMBLE DU PERSONNEL

Objet: restructuration du service commercial.

À l'occasion du départ de monsieur Duport, et pour améliorer son fonctionnement, le service commercial fera l'objet de la restructuration suivante, à compter du 17 mars.

- Mme Allibert a accepté la direction du service.

- MM. Juillet, Javert et Tournu seront responsables des produits. Cependant, pour les campagnes de promotion, on devra s'adresser d'abord à Mme Allibert.

- Mme Bécau s'occupera exclusivement de la zone Est, M. Chabert de la zone Sud, et Mme Grandjean de la zone Nord-ouest. Tous les bons de commande seront, comme avant, envoyés à ces

responsables de zone.

Les autres postes du service ne sont pas modifiés.

La direction

■193

## SCÉNARIO TYPE : STRATÉGIES

Qu'est-ce que vous envisagez pour améliorer la situation ?

Est-ce que vous ne risquez pas de connaître des difficultés ?

Comment mieux satisfaire les clients ?

Comment faire pour recruter le meilleur candidat ?

Ce que nous pouvons faire, c'est augmenter notre stock.

Nous le modifierons à condition d'avoir du temps.

Nous en aurons la possibilité, sauf si le franc baisse.

Même si la direction insiste, nous ne serons pas capables de réduire les temps de production.

Pour réussir à augmenter nos parts de marché, il suffit de baisser les prix.

## SCÉNARIO 1

▭ À VOUS !

• **Écoutez une conversation entre deux personnes de la S.A.R.L. MEUBOIS qui fabrique des meubles de bureau.**

– Dites, vous savez qu'on est le 16 aujourd'hui ?
– Oui, pourquoi ? C'est votre anniversaire ?
– Mais non... C'est parce qu'on devait livrer à la société DIMEX avant le 16 !
– En effet, mais avec toutes ces commandes, on ne peut pas livrer à tout le monde !
– Ce que vous oubliez, c'est que DIMEX est notre meilleur client ! Ils vont téléphoner et je suis certain qu'ils ne seront pas contents même si nous trouvons une bonne explication !
– On verra... S'ils téléphonent, vous leur direz ce que tout le monde sait.
...(suite sur cassette).

• **Vous travaillez chez MEUBOIS. DIMEX vous téléphone.**

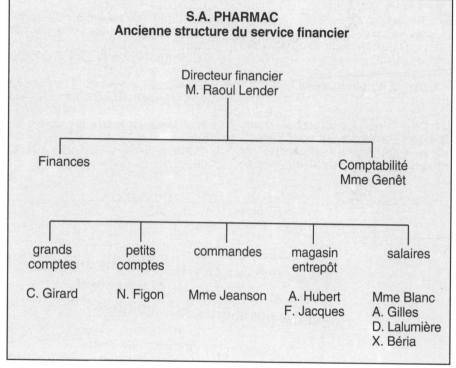

**S.A. PHARMAC**
**Ancienne structure du service financier**

Directeur financier
M. Raoul Lender

Finances — Comptabilité Mme Genêt

| grands comptes | petits comptes | commandes | magasin entrepôt | salaires |
|---|---|---|---|---|
| C. Girard | N. Figon | Mme Jeanson | A. Hubert F. Jacques | Mme Blanc A. Gilles D. Lalumière X. Béria |

■194

## SCÉNARIO 2

▭ À VOUS ! Écoutez.
La S.A.R.L. MEUBOIS doit donc recruter du personnel. Pour cela, elle définit d'abord un nouveau poste. Vous faites partie du groupe qui va le définir.

• Mettez-vous d'accord sur la définition du poste.

• Rédigez la petite annonce.

## SCÉNARIO 3

À VOUS ! Regardez l'ancien et le nouvel organigramme du service de la comptabilité de S.A. PHARMAC (documents 191, 194). Faites une note à l'attention de l'ensemble du personnel expliquant la restructuration et la nouvelle définition des postes (inspirez-vous du document 193).

## SCÉNARIO 4

À VOUS ! Continuez la note du délégué syndical (document 192). Vous pouvez vous aider du scénario type de la page 82.

## BILAN

**1. Retrouvez les questions du journaliste dans cette interview.**

– ................................................

– Oui, à condition de trouver de nouveaux clients en Europe.

– ................................................

– Sauf si on augmente les taxes, bien sûr.

– ................................................

– Je crois que nous serons dans les cinq meilleurs en Europe.

– ................................................

– Oui, c'est un grand projet.

– ................................................

– Actuellement non, mais nous étudions cette possibilité pour l'année prochaine.

– ................................................

– Vous comprenez que je ne peux pas en dire plus.

– ................................................

– Satisfaire les clients avant tout.

**2. Vous êtes le directeur d'une banque régionale et vous recherchez un(e) jeune assistant(e) de direction parlant une langue latine pour organiser votre secrétariat. Ce poste est libre immédiatement.**

• Vous rédigez l'annonce.

• Vous recevez un coup de téléphone d'un(e) candidat(e) qui a lu votre annonce. Jouez la conversation.

**3. Monsieur G. Saitout est conseil en entreprise (voir document 195). Il connaît tout, comprend tout, réussit tout, ... et n'oublie jamais d'envoyer sa facture avant les résultats prévus. Il conseille :**

– l'entreprise TRANSFLOT (dossier 20, bilan 2, p. 96) pour choisir des étudiants stagiaires ;

– l'association HUMAN-AIDE (dossier 20, scénario 3, p. 95) ;

– l'entreprise du scénario 2 du dossier 22 (p. 103) sur le travail avec un partenaire ;

– le comptable de la CIMEX (dossier 18, scénario 3, p. 83) ;

– Isabelle Granger qui cherche un emploi (dossier 16, scénario 1, p. 75).

• Imaginez et jouez les conversations.

• Donnez quelques conseils à M. G. Saitout...

---

Vous avez des projets... Ils sont importants pour vous...
Vous avez des ressources humaines
et des possibilités économiques...

Nous vous offrons de voir ensemble comment les utiliser

au mieux pour atteindre vos objectifs c'est-à-dire :

# RÉUSSIR

G. SAITOUT CONSEIL est un organisme de conseil et de formation

spécialiste en organisation et en projet :

■ Gestion de projets
■ Maîtrise des risques
■ Négociation des projets

■ Stratégie
■ Projet international

### QUELQUES RÉFÉRENCES

Conduite du projet «Analyse des postes et emplois» au Ministère du Travail.
Analyse stratégique pour CEGEL-A.C. (marché argentin)

■195

QUATRIÈME PAUSE

# PAUSE

## À DIRE

KERT Ltd (ou une entreprise de votre pays) a racheté une PME française, OMNIPLASTIQUES S.A. OMNIPLASTIQUES continuera son activité de fabrication d'objets en plastique, mais devra aussi importer en France ses produits et les réparer.

## 1. Premiers contacts avec OMNIPLASTIQUES S.A.

Cf. la 2e pause, page 57, dialogues 1, 2 et 3. Attention : **A** est l'un des directeurs de KERT (et non plus représentant), et **B** (M. Guindon) est directeur de la PME française.

**B** propose de retenir une chambre d'hôtel pour **A**.
**A** accepte et donne les précisions nécessaires.
**B** téléphone à un hôtel. Il est complet. Il téléphone à un 2e hôtel.

## 2. Arrivée chez OMNIPLASTIQUES S.A.

Cf. la 1re pause, page 29, dialogues 2, 3, 4 et 5 (la présentation de l'entreprise doit être très complète !).

## 3. Vous parlez ensemble de l'avenir d'OMNIPLASTIQUES (en général).

**A** est optimiste : il y a des stratégies possibles pour améliorer le résultat...

**B** est pessimiste : baisse de la demande, salaires trop élevés, crise...

## 4. La restructuration.

**B** explique la structure actuelle de son entreprise (structure hiérarchique comme la nouvelle structure page 110).

**A** propose une autre structure (structure fonctionnelle comme ancienne structure page 111). Il faudra aussi recruter un nouvel employé tout de suite, puis 2 ou 3 autres. Il souhaite donc modifier tout de suite la structure... Vous comparez les 2 structures et leurs avantages, puis **A** décide.

## 5. M. Guindon explique au délégué syndical la décision prise par KERT Ltd.

Le délégué syndical proteste un peu, mais il est d'accord. Le seul problème, pour lui, reste celui des salaires : est-ce que tout le monde va gagner autant ?...

## 6. M. Guindon recrute le nouvel employé, puis cherche de nouveaux locaux, plus grands.

Comme 3e pause, page 85, dialogues 2 (mais locaux 5 fois plus grands) et 4.

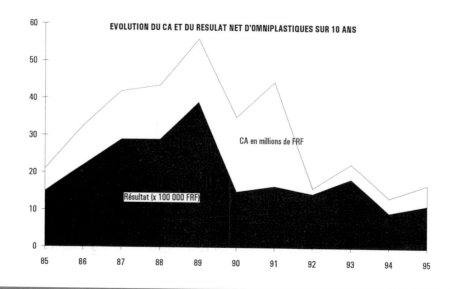

EVOLUTION DU CA ET DU RESULAT NET D'OMNIPLASTIQUES SUR 10 ANS

CA en millions de FRF

Résultat (x 100 000 FRF)

# À ÉCRIRE

## 1. Chassez l'intrus (trois intrus par série).

**Une variation :**
une amélioration, réduire, vivre, une tendance, un changement, modifier, une expression, une augmentation, baisser, gérer, diminuer.

**Une société :**
une S.A., stable, un taux, un gérant, le conseil d'administration, les associés, le capital, accueillir, une part, une opinion, un C.V.

**Le personnel :**
sans doute, candidat, recruter, lentement, ancienneté, poste, salaire, un contrat de travail, débutant, une opinion, un C.V.

**Une difficulté :**
navré, protester, une réclamation, une erreur, désolé, prononcer, une catastrophe, la responsabilité, une crise, signer, un atelier.

**Content :**
satisfaire, heureusement, un intermédiaire, se réjouir de, agréable, facile, trouver une solution, grâce à, préciser, un succès, optimiste, un journal, réussir.

## 2. Soulignez le mot ou l'expression juste.

a) Cette lettre, j'ai pu la traduire (sauf si / grâce à / sans doute) mon dictionnaire : (sans / car / grâce à) dictionnaire, je ne pouvais pas (grâce à / car / d'autre part) je connais trop mal l'espagnol.

b) (Comme / Car / D'après) la demande est supérieure à l'offre, les prix vont augmenter. (D'après / D'autre part / Cependant), nos exportations vont aussi diminuer fortement, (sans doute / cependant / sauf si) la demande reste très forte.

c) Vous n'obtiendrez pas de poste chez eux (si / donc / même si) vous avez tous les diplômes. (En effet / Donc / Aussi), ils n'ont pas l'intention de recruter, (d'après / d'abord / donc) ce que m'a expliqué le directeur du personnel.

## 3. Composez un petit texte ou une phrase. Utilisez les mots (ou expressions) suivants – dans cet ordre – plus ceux que vous voulez.

a) étant donné que - production - investir - personnel.

b) d'abord - grâce à - sauf si - car.

c) la plupart des - atteindre - loisirs - fortement.

## 4. Écrivez huit mots ou expressions en rapport avec :

a) une prévision

b) un dictionnaire

## 5. Quel désordre ! Remettez les mots de ces phrases en ordre.

a) français - se - en - comment - dit - ça.

b) votre - quel - vue - point - est - de.

c) ce - que - je - est - pas - trouve - n' - facile.

d) de - an - l' - depuis - l' - dernier - nous - argent - perdons.

e) nos - devons - la - clients - nous - garantir - produits - qualité - de - nos - à.

f) d' - pour - marché - nos - il - d' - parts - augmenter - gagner - suffit - plus - de - argent.

**6.** Choisissez le pronom correct : me, lui, leur, le, la, les, en.

a) Je ... demande si je dois ... traduire la lettre de notre client grec, ou seulement ... expliquer ce qu'elle doit faire.
b) Les clients arrivent mardi, et je vais ... renseigner sur l'heure exacte de leur arrivée. C'est Dupont qui va ... accueillir à l'aéroport, ... faire visiter notre usine, puis ... présenter le contrat. J'espère qu'ils vont ... signer tout de suite, que toutes les difficultés, nous ... avons prévues, et que des questions, ils n'... poseront pas trop.
c) Mon avis ? Il ... semble que, de l'argent, nous ... perdrons beaucoup sur ce projet, si nous ne savons pas ... gérer correctement.

**7.** Trouvez le bon verbe et conjuguez-le correctement.

a) Elle est pessimiste : elle ... que les dépenses ... les recettes et que nous ... beaucoup d'argent.
b) Il me ... que pour ... la situation, il ... d'... la qualité de nos produits.
c) Si vous ... l'intention de ... l'avion, il ... vous ... sur les heures de départ.
d) On ... qu'ils ... l'an prochain. Mais grâce à mon ancienneté, je ... à ne pas perdre mon poste.
e) Si vous ne ... rien, vous ne ... pas beaucoup d'argent.

**8.** Vous travaillez maintenant en France depuis 2 mois.

a) Écrivez une lettre à un ami français pour lui expliquer comment se sont passés vos premiers mois en France, vos relations avec les Français.
b) Au travail, tout va bien. Vous avez observé l'entreprise, vous avez eu une réunion avec les chefs de service. Vous écrivez une note pour expliquer à l'entreprise de votre pays ce que vous proposez pour améliorer les résultats de la filiale française.

c) Vous avez loué un appartement. Le propriétaire vous a dit que l'immeuble était très calme. Mais il y a beaucoup de bruit !... Et il n'a pas fait certaines réparations qu'il devait faire. Vous lui écrivez pour protester.

**9.** Trouvez le contraire de ces mots ou expressions.

a) perdre :
b) facile :
c) l'été :
d) l'an dernier :
e) les recettes :
f) inférieur à :

g) une baisse :
h) faiblement :
i) le maximum :
j) être certain que :
k) vite :
l) pessimiste :

# À LIRE

### L'économie européenne : un peu d'histoire

Pendant le XIIIe siècle, il y avait deux grandes zones économiques dans le commerce européen : les villes de la Hanse[1], une association de villes marchandes allemandes (principalement Lübeck, Hambourg et Cologne) qui dominait l'Europe du Nord, et les villes italiennes (principalement Lucques, Gênes, Milan et Florence) qui dominaient l'Europe du Sud. Le commerce entre ces deux zones se faisait dans les foires françaises de Champagne et de Brie (surtout les foires de Provins, Châlons et Troyes) ; ces grandes foires duraient un mois et avaient lieu deux fois par an.

Pendant la fin du XIVe siècle (après la grande épidémie de peste[2]) et pendant le XVe siècle, c'était Venise qui était le centre de l'économie européenne : la République contrôlait le commerce avec l'Orient (le golfe Persique, la Chine...) ; pour acheter des marchandises russes ou chinoises, hongroises ou africaines, les Français et les Allemands allaient à Venise. Ils devaient aussi y aller pour vendre leurs marchandises. Les marchands de Venise employaient la comptabilité moderne (« en partie double » avec recettes et dépenses, actif et passif), ils avaient des compagnies d'assurance, et ils géraient toutes les opérations de crédit commercial (la lettre de change, par exemple). La République de Venise avait un budget aussi important que celui de la France ou de l'Angleterre.

Au XVIe siècle, une autre ville, une ville du Nord, Anvers, est devenue le centre de l'économie commerciale européenne, grâce au Portugal : Anvers profitait du commerce de la colonisation africaine et américaine.

Mais le centre financier de l'Europe restait principalement au sud, à Gênes : les Génois finançaient le « Roi Catholique » (Ferdinand d'Aragon), puis Charles Quint ; ils finançaient aussi les rois de France (François Ier et Henri II) et les rois d'Angleterre (Henri VIII et la grande Elizabeth).

Au XVIIe siècle et au début du XVIIIe, le centre commercial de l'Europe se trouvait à Amsterdam. Les Hollandais avaient des maisons de commerce avec des bureaux dans toute l'Europe, Amsterdam possédait des entrepôts pour toute l'Europe, et l'importance de la Bourse d'Amsterdam et de ses obligations était très grande.
Ensuite, ça a été le tour de Londres...

1. La « Ligue hanséatique ».
2. « La Peste noire », 1346-1353.

Venise, d'après un tableau de Turner, bibliothèque des Arts Décoratifs.

# TRANSCRIPTION DES ENREGISTREMENTS

## DOSSIER 1

### PAGE 5

🔊 **Ordre du Jour 1**

– Je cherche monsieur Nicot.
– Pardon ? Vous cherchez monsieur...?
– Nicot.
– Ah ! Vous cherchez monsieur Nicot ?
– Oui.

🔊 **Ordre du Jour 2**

– Monsieur Prandini, c'est vous ?
– Non, c'est lui.
– Et vous ?
– Moi, je suis monsieur Davout.
– Mademoiselle Prat, c'est vous ?

### PAGES 6-7

🔊 **Scénario 1**

– Pardon, je cherche madame Monod.
– Madame Monod ?... Je connais mademoiselle Monod...
– Non, je cherche madame Monod.
– Désolé.

🔊 **Scénario 2**

– Excusez-moi, vous cherchez quelqu'un ?
– Oui, je cherche madame Darel.
– C'est moi.
– Ah ! c'est vous. Enchanté, je suis Jacques Cortay.
– Sylvie Darel, très heureuse.

🔊 **Scénario 3**

– Bonjour, je suis monsieur Martin. Vous êtes madame Cordier ?
– Cordier ? Non. Pourquoi ?
– Ah... mais vous cherchez monsieur Martin...
– Vous êtes monsieur Martin, euh... Arthur Martin ?
– Non, je suis Jacques Martin.
– Ah ! Moi, je cherche Arthur Martin !
– Ah ! Excusez-moi.

🔊 **Scénario 4**

– Bonjour, je suis madame Neveu.
– Pardon ?
– Je suis madame Neveu, Claude Neveu, et je cherche monsieur Duclos.
– Pierre Duclos ?
– Non, Jacques Duclos.

### PAGE 8

🔊 **Bilan 1**

– Vous cherchez quelqu'un, madame ?
– Oui, je cherche monsieur Neveu.

– Neveu ? Monsieur François Neveu ?
– Oui, je suis madame Nicot, et je...
– Pardon ? Vous êtes madame...?
– Nicot, Anne Nicot.

## DOSSIER 2

### PAGE 9

🔊 **Ordre du Jour 1**

| | | | | |
|---|---|---|---|---|
| 0 | 1 | 2 | 3 | 4 |
| 5 | 6 | 7 | 8 | 9 |
| 10 | 11 | 12 | 13 | 14 |
| 15 | 16 | 17 | 18 | 19 |
| 20 | 21 | 22 | 23 | 24 |
| 25 | 26 | 27 | 28 | 29 |
| 30 | 31 | 32 | | |
| 40 | 41 | 42 | | |
| 50 | | | | |
| 60 | | | | |

$2 + 2 = 4$ ; $2 + 3 = 5$ ; ...
$2 \times 2 = 4$ ; $2 \times 3 = 6$...

### PAGES 10-11

🔊 **Scénario 1**

– Renseignements, bonjour.
– Bonjour, je voudrais le numéro de monsieur Darget à Marigny s'il vous plaît.
– Monsieur Darget ... C'est le 33 55 11 16.
– 33 55 11 13 ... Merci.
– Non ! Pas 13, 16, 2 fois 8, vous comprenez ?
– Ah ! 33 55 11 16 ?
– Oui, c'est ça.
– Merci.
– Je vous en prie.

🔊 **Scénario 2**

– 34 23 12 12 Bonjour !
– Bonjour. Je voudrais parler à monsieur Jaffard s'il vous plaît.
– Un instant monsieur, ne quittez pas, s'il vous plaît.
– Merci.
– Allô ?
– Monsieur Jaffard ? Ici Franck Moreau. Bonjour !
– Désolé, ici c'est monsieur Tardieu.
– Excusez-moi.
– Je vous en prie.

🔊 **Scénario 3**

– Allô ! Je voudrais parler à madame Revel, s'il vous plaît.
– Désolé monsieur, elle n'est pas là. Je peux prendre un message ?
– Oui, est-ce qu'elle peut rappeler ?
– Oui, vous êtes monsieur...
– Barnier.
– À quel numéro ?
– 54 38 22 13, poste 34.
– Entendu monsieur.
– Merci.
– Je vous en prie.

🔊 **3 bis**

– Allô, ici le poste de monsieur Destour.
– Ah ! Il n'est pas là ?
– Non, désolé, mais je peux prendre un message ?

– Oui ; est-ce qu'il peut me rappeler ?
– Vous êtes madame...?
– Mademoiselle Fleury. Laurence Fleury.
– Quel est votre numéro de téléphone ?
– Le 56 28 52 30. Et c'est le poste 245.
– C'est noté madame... pardon, mademoiselle.
– Merci, au revoir.

🔊 **Scénario 4**

– Bonjour, excusez-moi, je cherche...
– Oui ?
– Euh... Madame... Barreau...
– Varrault ?
– Oui, c'est ça.
– C'est le bureau 12.
– Merci.
– Je vous en prie.

### PAGE 12

🔊 **Bilan 1**

1. $11 + 15 = 26$
2. $13 + 33 = 46$
3. $16 + 19 = 35$
4. $2 \times 17 = 34$
5. $14 + 12 = 25$
6. $3 \times 18 = 64$

🔊 **Bilan 2**

– Bonjour, vous êtes bien chez madame Debreuil. Je ne suis pas là pour l'instant. Vous pouvez laisser un message. Parlez après le bip sonore. Bip.

## DOSSIER 3

### PAGE 13

🔊 **Ordre du jour 1**

L'alphabet :
A.B.C.D.E.F.G.H.I.J.K.L.M.N.O.P.Q.R.S.T.U.V.W.X.Y.Z.

Comment ça s'écrit ? Ça s'écrit comment ? Vous pouvez épeler s'il vous plaît ?

| é | = E accent aigu. |
|---|---|
| è | = E accent grave. |
| ll | = deux l. |
| ç | = C. cédille. |
| - | = trait d'union. |
| ' | = apostrophe. |

🔊 **Ordre du jour 2**

1. – Je m'appelle Cadhilon et vous ?
– Pardon ? Ça s'écrit comment ?
– C.A.D.H.I.L.O.N. Et vous, vous vous appelez...?

### PAGES 14-15

🔊 **Scénario 1**

– Vous connaissez Bordeaux ?
– Non, je ne connais pas.
– Mais si, Bordeaux...
– Vous pouvez épeler ?

– B.O.R.D.E.A.U.X.
– Ah ! bien sûr, je connais.

🔊 Scénario 2

– Vous connaissez M. Garnier ?
– Non, Pierre Gibaud, enchanté.
– Michel Garnier, enchanté.

🔊 Scénario 3

– Allô? Je voudrais parler à M. Prost, s'il vous plaît.
– Oui, c'est de la part de qui ?
– Pardon ?
– Vous êtes madame...?
– Je m'appelle Deneuve.
– Excusez-moi ? Vous pouvez épeler s'il vous plaît ?
– Comme Catherine Deneuve, D.E.N.E.U.V.E.
– Merci, ne quittez pas, je vous passe monsieur Prost.

🔊 Scénario 4

– Bonjour monsieur, je m'appelle Rakodontraibe.
– Pardon ?
– Je m'appelle Rakodontraibe.
– Vous pouvez répéter s'il vous plaît ?
– Je suis Rakodontraibe.
– Excusez-moi, mais je ne comprends pas...

🔊 Scénario 5

– Excusez-moi, monsieur Fournier est là ?
– Non, il n'est pas là.
– Ah... Et mademoiselle Jamond n'est pas là ?
– Si, elle est là, elle est dans le bureau 45.
– Merci.
– Je vous en prie.

## PAGE 16

🔊 Bilan

S.N.C.F. T.G.V. R.A.T.P. R.E.R. C.B. Archamps, A.R.C.H.A.M.P.S. Amiens, A.M.I.E.N.S. Hyères, H.Y.E accent grave, R.E.S. Clermont-Ferrand, C.L.E.R.M.O.N.T. trait d'union F.E. deux R.A.N.D.

# DOSSIER 4

## PAGE 17

🔊 Ordre du jour 1

| | | | | |
|---|---|---|---|---|
| 70 | 71 | 72 | 73 | 74 |
| 75 | 76 | 77 | 78 | 79 |
| 80 | 81 | 82 | | |
| 90 | 91 | 92 | | |
| 100 | 101 | 102 | 145 | 203 |
| 1000 | 1345 | | 7777 | |
| 10 000 | 100 000 | | | |
| 1 000 000 | 1 000 000 000 | | | |

## PAGES 18-19

🔊 Scénario 1

– Vous connaissez PEUGEOT S.A. ?
– Non, pas très bien.
– Alors... PEUGEOT a un effectif de 80 300 personnes et un chiffre d'affaires de 102 milliards 96 millions de francs...

– Pardon ?
– 102 milliards 96 millions de francs. La production est de 1 million 197 000 véhicules par an.
– Et il y a combien d'usines ?
– Six.

🔊 Scénario 2

– Pardon, M. Moisset ?
– Oui ... ah vous êtes le stagiaire ?
– Oui, Gilles Chatenoud.
– Très heureux ! Vous connaissez mon entreprise, la société EGO ?
– Euh ...
– Mon entreprise ... j'ai un chiffre d'affaires de 345 millions de francs, et j'ai 350 employés ...
– Pardon ? 345 millions ?
– Mon chiffre d'affaires, oui.
– Vous avez combien d'usines ?
– J'ai trois usines. Et nous avons 400 points de vente.
– Nous ?
– Oui, ALTER S.A. et moi. Pour les points de vente nous sommes partenaires.

## PAGE 20

🔊 Bilan 1

1. $3 \times 25 = 75$
2. $65 + 13 = 91$
3. $91 + 6 = 99$
4. $50 + 31 = 71$
5. $50 + 42 = 92$
6. $4 \times 20 = 81$

# DOSSIER 5

## PAGE 21

🔊 Ordre du jour 1

– Vous connaissez des Italiens ?
– Bien sûr, je connais des Italiens, des Italiennes, et je connais bien l'Italie aussi.
– Vous connaissez des Portugais ?
– Bien sûr...

🔊 Ordre du jour 2

– La superficie de l'Europe est de 2 millions 250 000 kilomètres carrés, et il y a 325 millions d'habitants.
– Ah bon ? Il y a 325 millions d'habitants en Europe ?
– Oui, et la superficie de l'Allemagne est de...

## PAGES 22-23

🔊 Scénario 1

– C'est un pays d'Europe. Il a 92 000 km² et il y a 10 300 000 habitants.
– Nous sommes 14 500 000, et notre monnaie est le florin.
– Nous parlons anglais mais notre capitale n'est pas Londres.

🔊 Scénario 2

– Notre société est en Belgique.
– Dans la capitale ?
– Oui, nous sommes à Bruxelles.
– Et quelle est votre langue de travail ?

– Nous avons deux langues : le néerlandais et le français, mais beaucoup de personnes parlent aussi anglais.
– Vous êtes combien dans votre société ?
– Trois cents employés.
– Vous avez des filiales à l'étranger ?
– Non.

## PAGE 24

🔊 Bilan 1

– Quelle est votre nationalité ?
– Votre pays a quelle superficie et combien d'habitants ?
– Quelle est votre capitale ?
– Vous parlez quelle langue ?

# DOSSIER 6

## PAGE 25

🔊 Ordre du jour 1

– Vous avez une société ?
– Une société... à moi ? Oh ! non.
– Ah, ce n'est pas votre société ici...
– Non. Vous connaissez monsieur Prempain ? C'est sa société.

🔊 Ordre du jour 2

– Vous avez un bureau ?
– Non, je n'ai pas de bureau : ici, ce n'est pas mon bureau.
– Ce n'est pas le bureau de monsieur Prempain ?
– Si.

## PAGES 26-27

🔊 Scénario 1

– Vous êtes étranger n'est-ce pas ?
– Oui, je suis italien, de Milan.
– Vous faites du tourisme ?
– Non, je viens ici pour mon travail.
– Ah... vous travaillez dans quelle branche ?
– L'informatique.
– Ah... très bien. Vous travaillez pour une entreprise italienne ?
– Non, ma société est américaine, mais elle n'a pas de siège en France, alors je viens souvent ici.

🔊 Scénario 2

– Allô! Je voudrais parler à madame Gagnaire s'il vous plaît.
– De la part de qui ?
– Euh... je suis monsieur Marchetti, de ...
– C'est à quel sujet ?
– Je voudrais parler à madame Gagnaire de ma société, la DATA-CO.
– Ne quittez pas...
– Allô! Madame Gagnaire ? Ici monsieur Marchetti de la société DATA-CO.
– DATA-CO ?
– Oui, c'est une entreprise américaine d'informatique de bureau, et je...
– Vous êtes américain ?
– Euh... non, je suis italien et je...
– Vous êtes en France ?
– Euh... non, enfin oui, je suis de Milan mais

je suis en France... C'est-à-dire... DATA-CO n'a pas de siège en France, et je...
– Vous êtes à Marseille ?
– Oui, et je... Allô ?
– Oui ?
– Euh... je voudrais vous rencontrer.
– Pourquoi ?
– Je voudrais vous présenter DATA-CO.
– Oui ? Alors venez...

### ⊙⊙ Scénario 3

– Notre entreprise s'appelle GONDRAND S.A. et a son siège ici, mais nous avons deux usines : une à Strasbourg et une à Lille, et nous avons des bureaux à Lyon, Bordeaux, et ...
– Vous n'avez pas de bureau en Italie ?
– Euh... non. Nous avons des clients en Angleterre, en Belgique, aux ...
– Vous n'avez pas de clients en Italie ?
– Non... Nous avons 2 300 employés et des agents commerciaux dans trois pays : Pays-Bas, Angleterre et Belgique... ET NOUS N'AVONS PAS D'AGENTS COMMERCIAUX EN ITALIE ! ...
– Ah ! ...
– Nous travaillons avec des sociétés françaises et internationales : ITC, DELTA, GRONING & UHLMANN, FRANCE-DEM, vous connaissez ?
– Oui ... Et vous ne tr...
– Non !
– Non ?
– Non !
– Bon ! ...


## PAGE 28

### ⊙⊙ Bilan 1

– Ah bon ! ... Quelle est votre profession ?
– Je suis agent commercial.
– Pour une société française ?
– Oui, de Lyon : la société MAURTHIÉ.
– MAURTHIER ?
– Oui. MAURTHIÉ S.A. : M.A.U.R.T.H.I.E. accent aigu. Nous sommes dans la pharmacie.
– Ah, oui ! MAURTHIÉ ! Vous avez des bureaux place Carnot, n'est-ce pas ?
– C'est ça. Au numéro 15. Tenez, voilà ma carte.
– MAURTHIÉ S.A. ... 15, place Carnot... 78 83 05 13... et là, c'est la télécopie ?
– Oui, mon fax c'est le 74 76 96 11.


## DOSSIER 7


## PAGE 33

### ⊙⊙ Ordre du jour 1

– Je viens à dix heures. D'accord ?
– À dix heures ? Pourquoi pas dix heures et quart ?
– Ah non ! Pas à dix heures et quart ! À dix heures cinq ?
– Dix heures cinq ? Pourquoi pas dix heures vingt ?
– etc. ...


## PAGES 34-35

### ⊙⊙ Scénario 1

– Société bancaire Fréval, bonjour. Nos bureaux sont ouverts de huit heures à midi et d'une heure et demie à cinq heures et demie. Ils sont fermés le samedi.

### ⊙⊙ Scénario 2

– Allô, ici monsieur Dulac, je voudrais avoir un rendez-vous avec monsieur Charolles, s'il vous plaît.
– Oui... Le quinze septembre, ça va ?
– Ah non, non, je ne suis pas là en septembre. En août, c'est possible ?
– Non, désolée, monsieur Charolles n'est pas libre.
– Ah... et en octobre, ce n'est pas possible ?
– En octobre... si, le cinq octobre à cinq heures et demie, ça va ?
– Le vingt octobre... euh...
– Non, pas le vingt, le cinq octobre, trois et deux.
– Ah ! C'est un mardi ? C'est ça ?
– Oui.
– À quelle heure ?
– À cinq heures et demie.
– Non, après cinq heures le cinq ce n'est pas possible.
– Alors à trois heures et quart.
– Oui, trois heures et quart ça va. Merci.

### ⊙⊙ Scénario 3

– Allô! Je voudrais parler à monsieur Durand. De la part de Dupont.
– Désolée, il est en réunion.
– Ah... Je voudrais un rendez-vous avec lui.
– Quand voudriez-vous venir ?
– Jeudi à six heures et quart, c'est possible ?
– Quel jour ?
– Jeudi 12.
– Non, après six heures ce n'est pas possible.
– Et avant midi ?
– À dix heures moins le quart, ça va ?
– Très bien.
– Alors jeudi 12 à 9 h 45. C'est ça ?
– Entendu. Merci.

### ⊙⊙ Scénario 4

– Bonjour. Monsieur Favier s'il vous plaît ?
– Vous avez rendez-vous ?
– Non ; il n'est pas là ?
– Si, mais il est occupé : il a une réunion.
– Ah ! C'est ennuyeux, ça... Et à midi ?
– Pardon ?
– Je voudrais un rendez-vous avec M. Favier, à midi.
– Ah non, ce n'est pas possible à midi, monsieur.
– Ah ! Il a aussi une réunion à midi ?
– Euh... Non, mais il est occupé...
– Après deux heures alors ? À deux heures et quart ?
– Deux heures et quart... oui, ça va. Vous êtes monsieur...?
– Janvier.
– Pardon ?
– Janvier, je m'appelle Janvier, comme le mois. Janvier c'est moi !


## DOSSIER 8


## PAGE 37

### ⊙⊙ Ordre du jour 1

– Vous allez souvent au restaurant ?
– Oui, très souvent : tous les jours.

### ⊙⊙ Ordre du jour 2

– Je vais très souvent au restaurant ! J'aime beaucoup ça !
– Je ne voyage jamais. Je n'aime pas du tout ça !

### ⊙⊙ Ordre du jour 4

– La réunion dure combien de temps ?
– Deux heures : de 14 h à 16 h.
– Quoi ? Vous avez réunion pendant deux heures ?


## PAGES 38-39

### ⊙⊙ Scénario 1

– Vous travaillez où ?
– Je travaille chez ITC.
– Ah ! Vous travaillez chez ITC ! Enfin vous travaillez... vous êtes chez ITC, quoi !
– Pardon ?
– Je dis : vous êtes chez ITC...
– Pourquoi vous dites ça ?
– Parce que vous ne travaillez pas beaucoup chez ITC !
– Comment ça, on ne travaille pas beaucoup ?
– Non, vous ne faites rien : c'est ouvert de 10 h du matin à 5 h du soir !
– Ah ! pardon...
– Et c'est fermé le lundi et le samedi après-midi !
– Oui mais...
– Ça ne fait pas beaucoup, ça : trente heures par semaine !
– Mais c'est l'horaire d'ouverture ça ! Le personnel travaille trente-neuf heures par semaine !
– Oh ! oh ! Trente-neuf heures !
– Oui, tous les jours de 8 h à 11 h 1/2 et de 1 h 1/2 à 5 h, ou de 9 h à 1 h 1/2, et de 2 h 1/2 à 6 h. Et le samedi de 8 h 1/2 à midi 1/2.

### ⊙⊙ Scénario 2

– Oh ! moi, ma semaine, ce n'est pas compliqué : je suis au bureau tous les matins entre 10 h et 12 h, et trois après-midi par semaine : lundi, mercredi et vendredi.
– Et l'après-midi, de quelle heure à quelle heure ?
– Alors attendez... le lundi de 2 h à 5 h 1/2 et mercredi et vendredi de 2 h à 4 h 1/2.

### ⊙⊙ Scénario 4

– Moi, pour le moment, je travaille pour le Salon international de la bureautique.
– C'est bien ?
– Euh... oui, mais je travaille beaucoup.
– Il a lieu quand, ce Salon ?
– Du 11 au 18 mars, il dure une semaine.
– Alors, vous travaillez une semaine ?
– Oh, non ! je travaille toute l'année, mais pendant la semaine du Salon, c'est terrible !
– Pourquoi ?
– Je travaille presque 24 h sur 24 ! Le salon est ouvert tous les jours de 10 h à 22 h mais moi je travaille de 7 h à minuit !

## DOSSIER 9

### PAGE 41

 **Ordre du jour 1**

– Vous travaillez ce matin ?
– Non, pas ce matin. Mais je travaille demain matin.
...
– Vous ne travaillez pas ce matin ?
– Si, et je travaille encore demain matin !

 **Ordre du jour 2**

– Il va téléphoner ce matin, il téléphone tous les matins.
– Et demain ?
– Il va téléphoner demain matin aussi.

### PAGES 42-43

 **Scénario 1**

– Nous sommes prêts pour le congrès ?
– Le congrès ? Il a lieu quand ?
– Dans deux mois, non ?
– Quand exactement ?
– Du 15 au 18 juin.
– Bon, on a le temps, mais il faut faire une réunion pour le préparer.
– Euh. Oui. On peut la faire cette semaine, non ?
– D'accord, Berger, vous pouvez l'organiser ?
– Euh... désolé, mais je ne suis pas là demain et après-demain.
– Bon, alors Moussard ?
– Entendu.

 **Scénario 2**

– Janvel, vous êtes libre demain ?
– Pourquoi ?
– Pour préparer le séminaire.
– Quel séminaire ?
– Communication et motivation.
– Euh... je n'ai pas beaucoup de temps demain...
– Mais c'est urgent : le séminaire a lieu...

 **Scénario 3**

– Vous avez le programme du congrès ?
– Oui.
– Qu'est-ce qu'il y a demain ?
– Demain matin ?
– Oui.
– À neuf heures...

## DOSSIER 10

### PAGE 45

 **Ordre du jour 1**

– Vous allez à Paris ?
– Oui, j'y vais. Pourquoi, vous y allez aussi ?
– Oui, j'y vais aussi.

 **Ordre du jour 2**

– Je cherche l'adresse.
– Pardon, vous parlez de quoi ?
– De l'adresse du restaurant.

### PAGES 46-47

 **Scénario 1**

– Je dois aller au service des mines ce matin. C'est où ?
– Pardon ?
– Le service des mines, c'est à quelle adresse ?
– C'est cours Émile-Zola... au n° 15, je crois.
– Cours Émile-Zola ? Il y a un cours Émile-Zola à Lyon ?
– Ce n'est pas à Lyon, c'est à Villeurbanne.
– Ah bon ! Merci.

 **Scénario 2**

– Moi aussi je vais au service des mines.
– Vous y allez quand ?
– Aujourd'hui ou demain. On y va ensemble ?
– Moi, je dois y aller ce matin.
– On y va tout de suite alors ?
– D'accord.

 **Scénario 3**

– Allô ? madame Molinier ? Bonjour, ici Hoffmann.
– Ah ! Bonjour ! Comment allez-vous ?
– Bien merci, et vous ?
– Ça va bien, merci. Vous êtes où, à Orléans ?
– Oui. J'y suis pour le Salon.
– Ah oui ! Moi aussi j'y vais aujourd'hui ou demain. Vous y allez quand, vous ?
– Cet après-midi.
– Cet après-midi... on peut y aller ensemble, non ?
– Avec plaisir.
– Vous êtes à quel hôtel ?
– Le Lucernaire.
– C'est où ?
– C'est 45, rue des Moulins.
– Alors je viens vous prendre... à deux heures, ça va ?
– Très bien, merci, à cet après-midi !
– Au revoir.

 **Scénario 4**

– Bonjour, vous êtes chez Gérard Maury. Je suis absent pour le moment. Vous pouvez laisser un message après le bip sonore. Merci.
– Allô ! Ici Boyer. Pour la visite du Salon le 17 mars, rendez-vous à 14 heures à l'entrée principale, ça va ?

### PAGE 48

 **Bilan 3**

Allô, bonjour, c'est monsieur Grandjean. Je suis de passage dans votre ville, et j'aimerais vous rencontrer. Peut-on se retrouver après-demain, c'est-à-dire le 15 juin, à 6 heures, au café du Palais, 6, place du Palais-de-Justice ? Au revoir.

## DOSSIER 11

### PAGE 49

 **Ordre du jour 1**

– Vous connaissez la ville de France où il y a une promenade des Anglais ?
– Bien sûr, c'est Nice !

 **Ordre du jour 3**

Premier, deuxième, troisième, quatrième, cinquième, sixième, septième, huitième, neuvième, dixième, onzième.

### PAGES 50-51

 **Scénario 1**

– Excusez-moi, vous savez où se trouvent les laboratoires FARMOX ?
– Non, je ne sais pas...
– J'ai l'adresse : c'est 156, avenue Carnot...
– Ah oui ! Je vois. C'est tout simple. Vous voyez le pont là-bas ? Vous passez sur ce pont, vous prenez la rue à droite après le pont, et c'est tout droit. Vous voyez ?
– Euh... oui.
– Vous pouvez aussi prendre le bus, c'est le 27.
– Merci beaucoup.

 **Scénario 2**

– Pardon, je cherche l'usine DARMET.
– Désolé, je ne suis pas d'ici.
– Ah... Pardon.
– Excusez-moi, je cherche l'usine DARMET.
– DARMET ? Je ne connais pas...
– C'est une entreprise qui fabrique des colorants.
– Ah oui, D-G-COLOR ! C'est sur le boulevard où se trouve la grande tour du journal *Tribune de l'Ouest*. Vous voyez où c'est ?
– Non...
– Bon, ici vous êtes place de la Briquerie. Vous prenez cette rue, vous traversez la rue Jean-Jaurès, et vous prenez la première rue à gauche après les feux...
– Quelle rue ?
– La rue où il y a un taxi, là-bas, vous voyez ? Après vous traversez le 1er carrefour ; au 2e carrefour, là où il y a des feux, vous prenez la 1re rue à gauche, vous passez devant *la Tribune de l'Ouest*, et vous y êtes.
– Merci... mais je vais prendre un taxi !

 **Scénario 4**

– Bonjour, je cherche madame Sérecchia.
– C'est en face, monsieur.
– Ce n'est pas la société DARMET, ici ?
– Si, mais les bureaux sont dans le bâtiment en face. Vous entrez, vous prenez le couloir à droite, et c'est le bureau à gauche après l'escalier.
– Merci.

## DOSSIER 12

### PAGE 53

 **Ordre du jour 3**

– Ça vous intéresse ?
– Non, ça ne m'intéresse pas.
– On me cherche ?
– Non, on ne vous cherche pas.

### PAGES 54-55

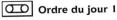 **Scénario 1**

– Voilà, donc c'est d'accord, je vous envoie les papiers. Entendu ?

– D'accord.
– Et je voudrais aussi vous inviter.
– M'inviter ?
– Oui, nous organisons une petite fête pour les vingt ans de l'entreprise.
– Ah ? C'est très sympathique...
– C'est le vendredi 23 mai à 18 heures. J'espère que vous êtes libre.
– Pardon, vous avez dit quel jour ?
– Vendredi 23 mai.
– Voyons... le 23 mai je suis en réunion jusqu'à 18 heures 30... Ça va ?
– Euh... non, ça ne va pas... Ça n'a pas lieu ici.
– Ah bon ? Ça se passe où ?
– À Étampes, au château.
– C'est où ça ? C'est loin ?
– C'est à 50 kilomètres : une heure en voiture, quoi.

### 🔘 Scénario 3

– Vous allez au séminaire, vous ?
– Oui, bien sûr.
– Vous y allez comment ?
– Oh moi, pas de problème, j'habite à côté de l'hôtel.
– À côté du château-hôtel Mont-Royal, à La Chapelle-en-Serval ?
– Oui.
– Comment on fait pour y aller ? C'est compliqué ?
– En voiture, non. Vous allez venir de Paris ?
– Oui.
– Tenez, j'ai une carte, là, regardez... Vous prenez l'autoroute A1 en direction du nord et vous allez jusqu'à Saint-Witz. Vous sortez à Saint-Witz et vous prenez la N17 en direction de Senlis. Vous faites 3 kilomètres et vous y êtes.

## PAGE 56

### 🔘 Bilan 3

– Alors, à cet après-midi.
– Euh... On y va comment, à Saint-Germain-en-Laye ?
– Ah ! ... Vous êtes à Paris ? À quel endroit ?
– Près de la porte d'Orléans.
– Alors, vous prenez le boulevard périphérique en direction de l'est et vous allez jusqu'à la porte Maillot. Vous prenez la direction de Neuilly, Nanterre et c'est toujours tout droit.

## DOSSIER 13

## PAGE 61

### 🔘 Ordre du jour 2

– Vous cherchez quelque chose ?
– De la colle.
– Pardon ?
– Je cherche de la colle...

### 🔘 Ordre du jour 3

– Vous voyez le message ?
– Non, je ne vois pas de message.
– Pas de message ? Comment ça ? Il n'y a pas de message ?

### 🔘 Ordre du jour 4

– Vous avez de la colle ?

– Bien sûr j'en ai. Pourquoi ?
– Moi, je n'en ai pas.
– Comment ça ! Vous n'avez pas de colle ?
– Non, je n'en ai plus.

## PAGES 62-63

### 🔘 Scénario 1

– Il faut commander quelque chose cette semaine ?
– Oui... On n'a plus de papier.
– Vous avez encore besoin de papier ?
– Oui, pour le fax et la photocopieuse.
– Vous n'en avez vraiment plus ?
– Non, regardez, il n'y en a plus du tout !
– Et des enveloppes ? Il vous en reste ?

### 🔘 Scénario 2

– Allô ! C'est bien la direction du livre ?
– Oui.
– Ici Barnier du bureau de gestion. Vous avez combien d'ordinateurs ?
– Euh... Ici il y en a cinq, plus un à l'accueil.
– Et des imprimantes ? Vous en avez six, c'est ça ?
– Non, justement, il en faut une de plus pour l'accueil. La secr...
– Mais vous en avez combien ?
– Trois. Mais vraiment, on a bes...
– Et vous avez combien de calculatrices ?
– Attendez, c'est compliqué... ici, il y en a sept, mais monsieur Lambert en a une aussi... Et moi, je n'en ai pas et...
– Bon merci,...
– Vous allez faire une commande ?
– Non, j'ai besoin de savoir tout ça pour l'inventaire.

### 🔘 Scénario 3

– Allô ! Le bureau 313 ? C'est Jocelyne Himbert ici, c'est pour la commande. Vous n'avez pas de commande ce mois-ci ?
– Si, pourquoi ?
– Je n'ai pas de commande de votre bureau.
– Ah... Je ne comprends pas...
– Bon, qu'est-ce qu'il vous faut ?
– Du papier : A3 et A4.
– Combien ?
– Euh... 2 000 A4 et 500 A3... Et du papier à en-tête aussi : 500.
– Des enveloppes ?
– Oui... et on n'a plus de colle... Ah ! le bon de commande est là : il nous faut cinq tubes de colle et des disquettes... euh... vingt-cinq disquettes et vingt crayons. C'est tout.

### 🔘 Scénario 4

– Bien, alors je note : cinq ordinateurs PC 486...
– Non, quatre.
– Comment ? Vous ne voulez pas prendre un ordinateur de plus ? Mais vous n'en avez pas besoin ?
– Écoutez, non, je n'ai vraiment pas besoin de cinq ordinateurs.
– Vraiment ? Et les imprimantes ? Vous prenez l'imprimante couleurs, n'est-ce pas ?

## DOSSIER 14

## PAGE 65

### 🔘 Ordre du jour 1

– J'ai besoin d'un bureau plus grand.
– Plus grand que quoi ?
– Plus grand que le bureau où je travaille en ce moment.

### 🔘 Ordre du jour 2

– Il vaut combien, cet appartement ?
– Dites un prix.
– Je ne sais pas moi... un million et demi ?
– Plus.
– Plus d'un million et demi ? Alors deux millions ?
– Moins.
– Moins de deux millions ? Alors...

## PAGES 66-67

### 🔘 Scénario 1

A – Je cherche des bureaux à louer dans le centre ville.
– Quelle surface ?
– 500 m² environ. Vous avez ça ?

B – Moi, ma maison idéale, c'est une maison ancienne, très grande : plus de six pièces, avec un garage, tout... et bien sûr, c'est très important pour moi, dans un quartier calme...
– Vous voudriez louer ou acheter ?
– Euh... je ne peux pas acheter maintenant.

C – Allô ! Je vous téléphone parce que j'ai besoin d'un local dans le 17e arrondissement.
– À acheter ou à louer ?
– Je voudrais acheter.
– Quelle surface ?
– Plus de 1 200 m² si possible. Dans un immeuble moderne.

D – Je peux vous aider ? Qu'est-ce qui vous intéresse ?
– Je regarde les appartements... enfin, je veux juste regarder... voir les prix.
– Vous cherchez un appartement... un grand ?
– Euh... oui, enfin non, enfin... entre 90 et 120 m², vous voyez ?
– Un quatre pièces ?
– Voilà. Un quatre pièces moderne et pas cher...
– Pas cher ? Alors dans la banlieue ?
– Oui, mais près du RER, alors. Je travaille à Paris.

E – Vous voyez, ici c'est petit... j'ai besoin de deux fois plus de bureaux...
– Vous avez combien de bureaux ici ?
– 400 m². Il m'en faut deux fois plus... et trois fois plus d'ateliers...
– Trois fois plus d'ateliers ? 1 500 m² ?
– Oui, enfin... 1 000 m², mais avec 500 m² d'entrepôts, vous voyez ?
– Oui.
– Vous avez quelque chose ?
– Oui. J'ai un local de 500 m² avec un entrepôt de 2 000 m².

– J'ai besoin de bureaux. Il n'y en a pas ?
– Si, un grand bureau de 280 m² à l'étage.
– C'est intéressant... On peut le visiter ?
– Bien sûr...

🔲 **Scénario 2**

– Bien, tout le monde est là. Alors l'ordre du jour de la réunion d'aujourd'hui concerne les nouveaux locaux. De quoi avons-nous besoin ? Vous avez réfléchi par service ? Qu'est-ce que ça donne, Monsieur Himbert ?
– Au service de la comptabilité, on a actuellement quatre bureaux ce qui fait 130 m². Il nous faut deux bureaux de plus.
– À l'atelier ?
– Il est petit, mais on a besoin de moins de surface d'entrepôt. Il nous faut 500 m² de plus d'atelier, mais 200 à 300 m² de moins d'entrepôt.
– Pour la direction et les services administratifs ?
– Nous avons 150 m² répartis en six bureaux. Il nous faut la même chose, avec en plus un grand bureau paysagé de 120 m².
– Les services commerciaux aussi veulent plus de place ?
– Oui, c'est-à-dire que pour les bureaux, ça va, mais le local d'exposition n'est pas plus grand que le bureau de Monsieur Himbert...
– Mais c'est normal ! J'ai besoin de...
– Monsieur Himbert ! Laissez parler madame Garnier... Alors, ce local d'exposition ? De quelle surface vous avez besoin ?
– 500 ou 600 m².
– Mais tout ça va coûter très cher !
– Monsieur Himbert ! Vous avez demandé la parole ?

– Cher ? Mais c'est un 486 ! Ce n'est pas cher pour un 486.
– Vous avez moins cher ?
– Bien sûr, il y a le 386, là.
– Il fait combien ?
– 1 500 F de moins. Garanti deux ans lui aussi. C'est une bonne machine...
– Bon, je vais le prendre...
– Lequel vous prenez ?
– Celui-là.
– Alors ça fait 6 750 F. Vous payez comment ?

🔲 **Scénario 3**

– Allô ! Le service de gestion ? M. Barnier ?
– Moi-même.
– Ici Gilles Grandville, d'ART-GRAPH SA. Vous avez reçu notre devis ?
– Oui... dites c'est cher !
– Ça dépend du nombre d'exemplaires... Si vous en prenez 2 000, vous avez 16 % de réduction.
– Ce n'est pas assez !
– 2 000, ce n'est pas assez ?
– Non, c'est la réduction qui est trop petite.
– Écoutez, vous en prenez 2 500 et je vous fais 20 %.
– Mais je n'ai pas besoin de 2 500 exemplaires !
– Allons ! On a toujours besoin de plus !
– Pas nous ! Il nous faut 2 000 exemplaires pas un de plus, mais il nous les faut moins chers.
– Bon, écoutez. Vous en voulez 2 000 ? Eh bien je vous les fais à 35 000 F. Ça va ?
– Je vais réfléchir... Vous m'envoyez un nouveau devis ?
– Je vous l'envoie tout de suite par fax.

🔲 **Scénario 2**

– Alors, c'est vous le nouveau directeur des Ressources Humaines ?
– C'est exact.
– Et comment est-ce qu'on devient D.R.H. ?
– Oh ça dépend ... pour moi j'ai fait des études d'ingénieur en génie électrique, en 1968.
– Vous avez commencé à travailler tout de suite ?
– Non, j'ai fait mon service militaire, et en 1970 je suis parti aux États-Unis.
– Pour y travailler ?
– Non, pour voyager... Je suis resté un an et demi aux États-Unis, puis je suis rentré en France et j'ai commencé à chercher du travail.

🔲 **Scénario 3**

– Et alors, toi, Bernadette, tu as quelle formation ?
– Je n'ai pas beaucoup de formation, mais j'ai de l'expérience. J'ai commencé des études de droit, mais j'ai quitté l'université en 1987.
– Donc tu as fait deux ans d'études. Tu as eu un diplôme ?
– Non, parce que j'ai décidé de commencer à travailler avant la fin de la deuxième année.
– Et tu as trouvé du travail tout de suite ?
– J'ai appris à utiliser un ordinateur et j'ai trouvé du travail dans une petite entreprise de maintenance en électronique. J'y ai travaillé trois ans comme secrétaire de direction.
– Mais tu as appris le métier ?
– J'ai suivi un cours du soir à la chambre de commerce et d'industrie.
– Longtemps ?
– Euh... de 1988 à 90... Deux ans. Et maintenant, j'apprends l'allemand, voilà, tu sais tout !

# DOSSIER 15

## PAGE 69

🔲 **Ordre du jour 3**

– Je travaille trop, j'ai trop de travail !
– Eh oui ! Vous êtes trop travailleur !

🔲 **Ordre du jour 4**

– Vous me louez le garage ?
– D'accord, je vous le loue.

## PAGES 70-71

🔲 **Scénario 1**

– Il fait combien cet ordinateur ?
– Le prix ? 7 950 F. C'est un 486.
– C'est un peu cher pour moi. Vous en avez de moins chers ?
– Oui, le 386, là : il coûte 6 230 F.
– Et il est garanti combien de temps ?
– Il est garanti deux ans, comme l'autre. Il est moins rapide que l'autre, donc il est moins cher, mais il est aussi solide.
– Je peux l'essayer ?
– Je vous en prie.

🔲 **Scénario 2**

– Excusez-moi, il coûte combien, cet appareil ?
– Il n'est pas cher en ce moment : 8 250 F.
– 8 250 F ? C'est cher !

# DOSSIER 16

## PAGE 73

🔲 **Ordre du jour 1**

– Vous êtes étudiante ?
– Non, mais j'ai été étudiante, il y a longtemps.

🔲 **Ordre du jour 2**

– Vous avez travaillé chez GRANT ?
– Non, je n'ai jamais travaillé chez GRANT.
– Vous entendez ça ? Il n'a jamais travaillé chez GRANT !

## PAGES 74-75

🔲 **Scénario 1**

– Je m'appelle Arnaud Lenoir, j'ai 32 ans et je suis technicien en informatique de gestion.
– Vous avez quelle formation ?
– J'ai un BTS de comptabilité et gestion.
– Vous avez fait vos études où ?
– À Lyon.
– Quand ?...
– J'ai passé le BTS en 1991.
– Vous avez travaillé où ?
– J'ai fait mon stage informatique chez RHÔNE-POULENC et j'y suis resté. Avant, j'ai travaillé à Lacanau et chez PÉCHINEY.
– Et vous êtes toujours stagiaire ?
– Je n'ai pas quitté RHÔNE-POULENC, mais...

# DOSSIER 17

## PAGE 77

🔲 **Ordre du jour 1**

– Vous achetez les disquettes quand ?
– Mais je les ai déjà achetées !
– Vous ne les avez pas achetées hier, j'espère ?
– Mais si je les ai achetées hier ! Pourquoi ?

🔲 **Ordre du jour 3**

– Je ne pars pas. Et vous ?
– Moi non plus je ne pars pas. Et lui, il part ?
– Oui, et elle aussi.

## PAGES 78-79

🔲 **Scénario 1**

– Allô ! La foire de Lyon, bonjour.
– Bonjour, ici Chevalier, de la société ACTIMON. Il vous reste des stands ?
– Pour cette année ? Oui, il nous en reste encore.
– Bon, alors je voudrais en réserver un.
– Il y en a de 60 m² et de 20 m². Vous voulez quelle surface ?
– Ceux de 20 m², c'est 3 500 F c'est ça ?
– Oui, c'est ça. Alors il y en a un près de l'entrée principale, et un autre près du bar.

– Qu'est-ce qui est mieux ?
– Celui près de l'entrée est bien, mais près du bar aussi c'est bien... il y a du monde.
– Oui, mais il n'y a pas trop de bruit ?
– Près du bar ? non.
– Et près de l'entrée ?
– Non plus.
– Bon, alors je choisis celui près de l'entrée.
– Entendu. C'est à quel nom ?
– ACTIMON. 56, rue de Savoie à Lyon et DTC-FRANCE à Montpellier. C'est pour deux sociétés.
– Vous pouvez confirmer par fax ?
– Entendu.

 Scénario 2

– Allô! Ici l'hôtel du Vieux-Port, bonjour. (accent de Marseille)
– Bonjour Monsieur, ici la société CIMEX de Lille. Je voudrais réserver une chambre.
– Oui madame, pour quelle date ?
– Pour la nuit du 13 au 14 mars.
– Alors... il nous reste une chambre seulement, une petite chambre avec douche, mais bien... il y a la vue sur le Vieux-Port, vous voyez ?
– Euh... oui. C'est très bien.
– C'est pour vous ?
– Non, c'est pour monsieur Patrick Feller de la société CIMEX.
– La chambre coûte 730 F et le petit déjeuner 42 F.
– Entendu. Monsieur Feller arrive en voiture vers 21 heures. Vous avez un garage ?
– Oui, tout près de l'hôtel. Il n'y a pas de problème.
– Très bien. Je vous confirme la réservation par fax. Au revoir monsieur.

 Scénario 4

– Allô, madame Granier ? Ici Patrick Feller.
– Bonjour, monsieur le directeur.
– Dites, j'ai un problème : pour Marseille, vous savez, les réservations de la chambre d'hôtel et de la voiture...
– La voiture ? mais je ne l'ai pas réservée.
– Non, c'est moi qui ai réservé une voiture, une Clio et vous, vous avez réservé une chambre pour moi, n'est-ce pas ?
– Oui, bien sûr, je l'ai réservée hier.
– Bon, eh bien je ne pars plus le 13 mars, mais le 14. Et je n'ai pas besoin d'une Clio, mais d'une grosse voiture, je ne sais pas moi... une voiture pour 6 ou 7 personnes, vous voyez ?
– D'accord. Et vous restez combien de temps à Marseille ?
– À Marseille, pas très longtemps, mais dans la région, quatre jours. Il me faut une chambre pour les deux premières nuits, et la voiture pour les quatre jours.
– Entendu, et pour les billets d'avion ?
– Ah oui ! il faut faire une nouvelle réservation. Et pour le retour, je laisse la voiture à Valence le 17 au soir et je rentre par le T.G.V. Vous vous occupez de tout ça ?

## DOSSIER 18

### PAGE 81

 Ordre du jour 1

– Qu'est-ce que c'est que cette facture ?
– C'est une facture que j'ai trouvée sur mon bureau.

– Mais c'est la facture que je cherche depuis la semaine dernière !

### PAGES 82-83

 Scénario 1

– Voilà l'ordinateur que j'ai acheté chez vous le mois dernier.
– Oui. Quel est le problème ?
– Il ne marche pas.
– Vous pouvez nous le laisser ? On va vous le réparer.
– Écoutez ! Il m'a déjà coûté assez cher ! Ou bien vous me le changez, ou bien vous me le remboursez.
– C'est impossible, c'est un appareil que vous avez acheté en promotion.

 Scénario 2

– Bonjour, j'ai une chambre réservée au nom de Feller.
– Oui, je vais voir... quel nom vous avez dit ?
– Feller, F.E. deux L.E.R.
– C'est vous qui avez réservé ?
– Oui, c'est moi, euh... enfin non, c'est ma secrétaire...
– Par lettre ?
– Non, elle a téléphoné.
– Je ne comprends pas... je ne trouve pas votre nom.
– Pardon ? Elle a pourtant réservé et confirmé par fax...
– Quand ?
– La semaine dernière.
– Je suis désolé, l'hôtel est complet, et je n'ai pas de chambre pour vous.
– Comment ça ? On téléphone pour réserver, c'est d'accord, et maintenant il n'y a pas de chambre pour moi ?
– Je ne comprends pas, il y a eu une erreur...
– Moi non plus je ne comprends pas. Ce n'est pas normal ! Qu'est-ce que vous allez faire ?
– Mais je ne sais pas.
– Moi j'ai réservé, maintenant je suis là, j'attends.
– Je suis désolé... je...
– Moi aussi je suis désolé, mais vous devez faire quelque chose !
– Je vais téléphoner à un confrère. Un instant s'il vous plaît...

## DOSSIER 19

### PAGE 89

 Ordre du jour 2

– Le travail y est différent.
– C'est vrai, on y travaille différemment.

### PAGES 90-91

 Scénario 1

– Je suis gérant d'une petite SARL et je...
– Pardon, je ne comprends pas, vous avez dit « gérant » ?
– Oui, c'est celui qui gère... vous comprenez « gérer » ?

– Euh... non...
– Et « gestion », vous comprenez ?
– Non...
– Non plus ?... Bon, alors dans une SARL, il y a...
– Dans une quoi ? Je ne comprends pas ce mot...
– Ah... pfff... c'est difficile à expliquer... SARL, ce sont des initiales...
– Qu'est-ce que ça veut dire « initiales » ?
– Initiales ? Euh... c'est vraiment compliqué... Vous n'avez pas de dictionnaire ? Initiales, ce sont des lettres...
– Ah ! Alors les SARL sont des lettres ?
– Euh... non, une SARL est une société qui...

 Scénario 2

– En France, nous avons des sociétés à responsabilité limitée et des sociétés anonymes...
– C'est différent ?
– Oui, bien sûr. Le capital est plus important pour les sociétés anonymes : 250 000 ou même 1 500 000 F, et il est divisé en actions.
– Pardon, vous pouvez répéter s'il vous plaît ?
– Le capital, n'est-ce pas ? L'argent... il est divisé en actions.
– Je ne comprends pas « actions ».
– Ah... zut, j'ai oublié comment on dit « action » en anglais... C'est... quand on est associés... dans une société, vous comprenez ?
– Je comprends, oui.
– ... on a une part du capital... une part, c'est une action. On peut avoir une ou plusieurs actions... c'est quelque chose qu'on peut vendre... vous voyez ?
– Ah oui, je comprends maintenant !
– Et chez vous, c'est comme ça ?

 Scénario 3

– Excusez-moi, vous pouvez m'aider ?
– Bien sûr.
– Je ne comprends pas ce mot-là. Qu'est-ce qu'il veut dire ?
– C'est un peu comme une lettre... quand un client veut acheter quelque chose, il en demande un. Comme ça, il sait combien il va payer.
– Ah ? C'est comme une facture ?
– Euh, ça ressemble à une facture mais on le fait avant la commande, alors que la facture, on la fait après, quand le client a reçu sa commande.

## DOSSIER 20

### PAGE 93

 Ordre du jour 3

– Vous téléphonez à M. Germain ?
– Non, je ne lui téléphone pas.
– Vous êtes sûr ?
– Bon, je lui téléphone demain.
– Et vous avez envoyé le fax aux associés ?
– Le fax ? Oui, je leur ai envoyé hier.
– Vous êtes sûr ?
– Ah non ! Je ne leur ai pas envoyé le fax !

### PAGES 94-95

 Scénario 1

– Ne quittez pas, je me renseigne... Allô, monsieur Berthet ? J'ai monsieur Orlando, au téléphone...

- Qu'est-ce qu'il veut ?
- Il demande pourquoi il n'a pas reçu sa commande.
- Mais enfin, on lui a déjà écrit !... Vous pouvez lui expliquer que sa commande ne va pas partir d'ici avant deux semaines. ... Allô ! Je suis désolée, mais monsieur Berthet dit que votre commande ne va pas partir avant deux semaines. ... Ne quittez pas.
- Il demande pourquoi.
- Mais je lui ai déjà expliqué ! C'est une commande spéciale : des appareils que nous n'avons pas en stock, il faut les fabriquer spécialement pour lui, nous devons commander des pièces à l'étranger... il faut du temps !
- Allô ! monsieur Berthet dit que c'est une commande spéciale, ...

[cassette] **Scénario 2**

- Ça va ? Rien de spécial ?
- Ça va, rien de nouveau... Ah si, il y a une lettre de Sandelin.
- Qu'est-ce qu'il dit ?
- Il dit qu'il nous a envoyé une commande le...

[cassette] **Scénario 4**

- Bien, donc le deuxième point à l'ordre du jour est la question des stagiaires pour cet été. Quels services vont accueillir des stagiaires ? Combien de stagiaires ? De quel niveau d'études ? Pour combien de temps ? Qui va les accueillir et leur donner les informations nécessaires ? Combien allons-nous les payer ? Monsieur Joffroy, vous voulez parler ?
- Oui, s'il vous plaît. Monsieur le directeur pose beaucoup de questions, mais moi, je voudrais, avant, poser une autre question : qu'est-ce qui est important, les besoins de notre entreprise en stagiaires, ou les besoins des stagiaires ? Je vais dire combien de stagiaires je peux accueillir parce que j'ai des bureaux libres, parce qu'il y a du travail pour eux, ou parce que mon service est intéressant pour eux ?
- Écoutez, monsieur Joffroy, l'important, c'est... les étudiants stagiaires chez nous doivent trouver ici du travail intéressant... Madame Camelin ?
- Combien de stagiaires restent chez nous après leur stage ?
- Monsieur Grand ?
- C'est difficile de répondre : c'est différent chaque année, mais environ 3 ou 4...
- Madame Courtillier ?
- Où est-ce que les étudiants de l'INSA qui ne viennent pas ici font leur stage ?
- Il y a des étudiants qui cherchent des stages dans toute la France, même à l'étranger...

**PAGE 96**

[cassette] **Bilan 2**

- Allô ? Monsieur Bernard ? J'ai ici un stagiaire, un étudiant, il demande ce qu'il doit faire.
- Un stagiaire, il n'a pas reçu de lettre ?
- ... Non, il dit qu'il n'a rien reçu.
- Bon, alors demandez-lui s'il est stagiaire ici pour la première fois.

## DOSSIER 21

**PAGE 97**

[cassette] **Ordre du jour 3**

- Vous êtes étudiant ?
- Non, mais je l'étais l'année dernière.

**PAGES 98-99**

[cassette] **Scénario 2**

La plupart d'entre vous me connaissent. Je m'appelle Jean Tournu, et je suis P.-D.G. de la société JEANDU... Avant, tout était facile : le crédit était facile et bon marché, les clients avaient de l'argent, ils achetaient et leur nombre augmentait. Mais cela a bien changé. Pour mon entreprise, actuellement, ce n'est pas très facile : la demande diminue pour les bateaux à voile et à moteur traditionnels car les gens ont moins d'argent. Ils viennent autant qu'avant voir les expositions, mais ils regardent beaucoup et achètent très peu. Cette diminution est d'ailleurs plus importante pour les bateaux à voile que pour les petits bateaux à moteur. Bien sûr, il y a toujours des clients pour les bateaux traditionnels comme les nôtres, mais comme ces clients ont actuellement moins d'argent, la demande a beaucoup baissé et nous gagnons de moins en moins d'argent sur ce marché.
Il a évolué... Les gens font de plus en plus de sport pendant leurs loisirs, mais ont moins d'argent. Alors, heureusement pour nous, il y a la planche à voile : sur ce marché, la demande augmente encore un peu. Je peux dire que c'est grâce aux planches que nous avons encore du travail : nos ventes de planches sont maintenant supérieures à celles des bateaux.
Depuis 6 ans, notre chiffre d'affaires diminue. C'est en 1987 que nous avons fait le chiffre d'affaires le plus important : nous avons vendu pour 69 millions... Depuis, ça baisse, et cette année, nous avons fait 60 millions de chiffre d'affaires, et nous n'avons plus que 76 employés... Comme vous le savez, cette baisse est générale dans notre branche : aujourd'hui, il y a des entreprises qui perdent de l'argent, d'autres qui n'en gagnent plus... Notre industrie est en crise et c'est pourquoi nous sommes réunis aujourd'hui...

[cassette] **Scénario 3**

Cette année, en janvier, les ventes ont fortement diminué. En février, mars et avril, elles ont stagné à 200 000 F par mois ; en mai et juin il y a eu une faible augmentation puis une faible diminution en juillet. En août et septembre leur niveau était celui de mars. En octobre elles sont devenues de plus en plus importantes, en novembre il y a eu une très forte augmentation et en décembre l'augmentation dépassait celle de novembre, et atteignait 1 200 000 F.

## DOSSIER 22

**PAGE 101**

[cassette] **Ordre du jour 1**

- Alors, qu'est-ce qu'ils ont répondu ?
- Ils envoient une réclamation.
- Ils ont dit qu'ils envoyaient une réclamation ? Et vous leur avez demandé pourquoi ils envoyaient une réclamation ?

**PAGES 102-103**

[cassette] **Scénario 1**

- Vous avez parlé à nos clients ?
- Oui, je crois qu'ils ne sont pas absolument d'accord avec notre projet.
- Ah ? Vous leur avez bien dit que nous étions prêts à faire d'autres propositions ?
- Oui, bien sûr, et ils ont dit qu'ils acceptaient de travailler avec nous.
- Alors, où est le problème ?
- Eh bien, il me semble qu'ils préfèrent attendre le prochain Salon de la télématique.
- Attendre le Salon ? Mais pourquoi ?
- Je pense qu'ils veulent avoir du temps pour réfléchir. C'est mon opinion personnelle.
- Mais à votre avis, ils ne refusent pas le projet ?
- Non, je ne peux pas dire qu'ils le refusent, mais il me semble qu'ils le trouvent trop cher.
- Trop cher ? Mais ils étaient d'accord avec le budget il y a un mois.
- Oui, je leur ai dit qu'on ne pouvait plus changer maintenant.
- Et vous êtes certain qu'après le Salon de la télématique on peut avoir une réponse positive ?
- Je n'en suis pas sûr.
- Écoutez, il faut absolument trouver une solution avec eux.
- Je vais essayer, mais à mon avis ça va être difficile.

[cassette] **Scénario 4**

« Bien, je voudrais seulement dire quelques mots, en ce début d'année, qui, vous le savez, est difficile pour notre entreprise. Bien sûr, nous ne sommes pas la seule entreprise en situation difficile, dans notre secteur d'activité. Mais je pense que nous pouvons obtenir de meilleurs résultats. Je suis même sûr que nous pouvons faire mieux. Et je suis certain que vous êtes tous d'accord pour faire mieux.
Comment pouvons-nous obtenir de meilleurs résultats ? La réponse est simple : c'est la qualité. Nous devons garantir la qualité à nos clients : nos produits, c'est vrai, nos services aussi, sont de qualité, mais peut-on faire encore mieux ? À mon avis, on le peut.
Tout le monde doit se demander s'il peut mieux faire son travail : mieux et plus vite. Et pour moi, la qualité du travail, c'est aussi la qualité des relations, de la communication entre nous : comment peut-on mieux travailler ensemble ? Est-il possible de se comprendre plus vite ? Quelles sont les informations dont nous avons tous besoin ? Qui est responsable de quoi ? Comment ça se passe dans ce service ? Je trouve ces questions très importantes, et je ne sais pas si tous peuvent répondre. Qui peut répondre à toutes ces questions ? Nous

devons tous réfléchir pour trouver des solutions pour améliorer la communication, la qualité de notre communication, entre nous et avec nos clients. Je souhaite une bonne année à tous. »

# DOSSIER 23

## PAGE 105

 **Ordre du jour 1**

– Vous avez eu le fax ?
– Non, mais je l'aurai probablement la semaine prochaine.
– Quoi ? Vous ne l'aurez pas avant ?

## PAGES 106-107

 **Scénario 2**

– Pourquoi avez-vous répondu à notre annonce ?
– Parce que j'ai terminé mes études, et comme j'ai une expérience de l'étranger, j'ai l'intention de travailler dans une entreprise internationale.
– Quelle est exactement votre formation ?
– Eh bien, je suis spécialiste en télécommunications.
– Vous avez une expérience professionnelle ?
– J'ai fait un stage en Autriche et je termine un remplacement chez MARFIN, une entreprise de Clermont-Ferrand.
– Êtes-vous prêt à voyager souvent ?

# DOSSIER 24

## PAGE 109

 **Ordre du jour 1**

– Qu'est-ce que vous dites ?
– Pardon ?
– Je ne comprends pas ce que vous dites.

## PAGES 110-111

**Scénario 1**

– Dites, vous savez qu'on est le 16 aujourd'hui ?
– Oui, pourquoi ? C'est votre anniversaire ?
– Mais non... C'est parce qu'on devait livrer à la société DIMEX avant le 16 !
– En effet, mais avec toutes ces commandes, on ne peut pas livrer à tout le monde !
– Ce que vous oubliez, c'est que DIMEX est notre meilleur client ! Ils vont téléphoner et je suis certain qu'ils ne seront pas contents même si nous trouvons une bonne explication !
– On verra... S'ils téléphonent, vous leur direz ce que tout le monde sait.
On manque de personnel, on ne peut pas satisfaire tout le monde actuellement.
– C'est vrai, mais DIMEX a commandé il y a deux mois, et nous, on s'est engagé à tout leur livrer aujourd'hui... ils auront raison de protester.
– Bon, même s'ils protestent, on ne pourra pas faire la livraison aujourd'hui. Je suis désolé, mais vous leur dites qu'on livrera le 18, avec deux jours de retard, pas avant.
– On risque de perdre un client, et un bon, ce qui est catastrophique pour nous !

– Écoutez : les modèles qu'il a commandés ne sont pas standard, et ils insistent sur la qualité, ce qui prend du temps. S'ils téléphonent, vous leur garantissez qu'on fera pour le mieux. Vous verrez, ce sera sans problème, sauf si vous ne savez pas leur parler...

**Scénario 2**

– Mesdames, messieurs, cette réunion a pour objectif de trouver une solution à nos problèmes de fonctionnement. Nous recevons beaucoup de commandes depuis le mois de mars, et il faut s'en réjouir. Mais nous ne réussissons plus à satisfaire nos clients.
– En effet, et ce qui ne va pas, c'est que nous manquons de personnel. Pour réussir à les satisfaire, il suffit de recruter deux personnes.
– Deux personnes ? C'est trop ! Une seule suffira.
– Ce que je propose, c'est de recruter un responsable de la qualité, pour améliorer la communication entre les différents services et aussi entre notre entreprise et les clients. Nous serons capables de gagner ainsi deux postes de travail.
– Je suis sûr que tout le monde est d'accord. Je garantis personnellement que nous avons la possibilité de recruter immédiatement. Il faut définir ce poste pour l'annonce. M. Gérard, voulez-vous maintenant en discuter avec vos collègues ? Je n'ai pas le temps de rester avec vous car j'ai une autre réunion qui commence dans deux minutes. Vous me communiquerez le résultat de votre discussion à midi. C'est la meilleure solution. Je vous remercie.

# MÉMENTO GRAMMATICAL

## CONJUGAISONS

### 1. CE QUI EST RÉGULIER POUR TOUS LES VERBES

**1.a. Le futur proche (ou composé)** = auxiliaire ALLER + INFINITIF

**1.b. Les terminaisons du futur (simple)** = JE ... **-AI**, TU ... **-AS**, IL/ELLE/ON ... **-A**
NOUS ... **-ONS**, VOUS ... **-EZ**, ILS/ELLES ... **-ONT**

**1.c. Les terminaisons de l'imparfait** = JE ... **-AIS**, TU ... **-AIS**, IL/ELLE/ON ... **-AIT**
NOUS ... **-IONS**, VOUS ... **-IEZ**, ILS/ELLES ... **-AIENT**

**1.d. Le passé composé** = auxiliaire ÊTRE ou AVOIR + PARTICIPE PASSÉ

---

### 2. LES VERBES ÊTRE, AVOIR, ALLER, FAIRE, DIRE

#### 2.a. ÊTRE

| PRÉSENT | | PASSÉ COMPOSÉ | FUTUR | IMPARFAIT |
|---|---|---|---|---|
| je suis | nous sommes | j'ai été ... | je serai ... | j'étais ... |
| tu es | vous êtes | | | |
| il/elle/on est | ils sont | | | |

#### 2.b. AVOIR

| PRÉSENT | | PASSÉ COMPOSÉ | FUTUR | IMPARFAIT |
|---|---|---|---|---|
| j'ai | nous avons | j'ai eu ... | j'aurai ... | j'avais ... |
| tu as | vous avez | | | |
| il/elle/on a | ils ont | | | |

#### 2.c. ALLER

| PRÉSENT | | PASSÉ COMPOSÉ | FUTUR | IMPARFAIT |
|---|---|---|---|---|
| je vais | nous allons | je suis allé ... | j'irai ... | j'allais ... |
| tu vas | vous allez | | | |
| il/elle/on va | ils vont | | | |

#### 2.d. FAIRE

| PRÉSENT | | PASSÉ COMPOSÉ | FUTUR | IMPARFAIT |
|---|---|---|---|---|
| je fais | nous **fais**ons* | j'ai fait ... | je ferai ... | je **fais**ais ...* |
| tu fais | vous faites | | | *ici, **ai** se prononce comme e |
| il/elle/on fait | ils font | | | |

#### 2.e. DIRE

| PRÉSENT | | PASSÉ COMPOSÉ | FUTUR | IMPARFAIT |
|---|---|---|---|---|
| je dis | nous disons | j'ai dit ... | je dirai ... | je disais ... |
| tu dis | vous dites | | | |
| il/elle/on dit | ils disent | | | |

## . CE QUI EST RÉGULIER POUR TOUS LES AUTRES VERBES

**.a. Les terminaisons :** NOUS → **-ONS**, VOUS → **-EZ**, ILS/ELLES → **-NT**

**.b. Le futur simple = INFINITIF + TERMINAISONS (§ 1.b)**

*Exemple : parler → parlerai, louer → louerai,*
*choisir → choisirai, prendr(e) → prendrai*

Sauf pour les verbes en **-oir :** vouloir, pouvoir, devoir, savoir, falloir, valoir, voir, recevoir, et envoyer.

**.c. L'imparfait = PRÉSENT (VOUS) + TERMINAISONS (§ 1.c)**

*Exemples : prendre → vous pren**ez** → je pren**ais**, nous pren**ions**...*
*écrire → vous écri**vez** → j'écri**vais**, ils écri**vaient** ...*

**N.B.** Quand la conjugaison n'est pas donnée complètement, vous pouvez la trouver à partir des éléments donnés et des règles indiquées. Exemple : pour le futur du verbe être, à partir de l'élément donné (je serai) et de la règle donnée au paragraphe au-dessus (terminaisons du futur), vous pouvez trouver : tu seras, il sera, nous serons, vous serez, ils seront.

---

## . LES VERBES RÉGULIERS À L'INFINITIF EN -ER

**.a. Les terminaisons du présent et du participe passé remplacent ER de l'infinitif**

| PRÉSENT : | JE ... **-E**, | NOUS ... **-ONS**, |
|---|---|---|
| | TU ... **-ES**, | VOUS ... **-EZ**, |
| | IL ... **-E**, | ILS ... **-ENT** |

PARTICIPE PASSÉ : ... **-É**

**.b. Quelques cas particuliers**

**APPELER, S'APPELER, RAPPELER, ÉPELER**
PRÉSENT : j'/il appelle, tu appelles, ils appellent
FUTUR : j'appellerai, etc.

**ACHETER**
PRÉSENT : j'/il ach**è**te, tu ach**è**tes, ils ach**è**tent
FUTUR : j'ach**è**terai, etc.

**COMMENCER :** nous commen**ç**ons, je/tu commen**ç**ais, il commen**ç**ait

**CHANGER, ÉCHANGER :** nous chang**e**ons, je/tu chan**ge**ais, il chang**e**ait

**PAYER, ESSAYER : PRÉSENT :** j'/il essaie, tu essaies, ils essaient

**ENVOYER :**
PRÉSENT : COMME ESSAYER
FUTUR : j'enverrai, etc.

## 5. LES VERBES RÉGULIERS À L'INFINITIF EN -IR
### CHOISIR, GARANTIR, FINIR, INVESTIR, RÉUSSIR

PRÉSENT : je/tu choisi**s**, il choisi**t**, nous choisi**ss**ons, vous choisi**ss**ez, ils choisi**ss**ent
PARTICIPE PASSÉ : choisi

---

## 6. LES VERBES IRRÉGULIERS

### 6.a. Infinitif en -IR

**DEVENIR, TENIR, VENIR**
PRÉSENT : je/tu viens, il vient, nous venons, vous venez, ils viennent
FUTUR : je viendrai, etc.
PARTICIPE PASSÉ : venu

**PARTIR**
PRÉSENT : je/tu pars, il part, nous partons, vous partez, ils partent
PARTICIPE PASSÉ : parti

**OFFRIR, OUVRIR**
PRÉSENT : j'/il offre, tu offres, nous offrons, vous offrez, ils offrent
PARTICIPE PASSÉ : offert

### 6.b. Infinitif en -OIR

**FALLOIR, VALOIR**
PRÉSENT : il faut/il vaut, ils valent

IMPARFAIT : il fallait, il valait
FUTUR : il faudra, il vaudra
PARTICIPE PASSÉ : fallu, valu

## DEVOIR, RECEVOIR
PRÉSENT : je/tu dois/reçois, il doit/reçoit, nous devons/recevons, vous devez/recevez, ils doivent/reçoivent
FUTUR : je devrai, etc.
PARTICIPE PASSÉ : dû, reçu

## VOULOIR
PRÉSENT : je/tu veux, il veut, nous voulons, vous voulez, ils veulent
FUTUR : je voudrai, etc.
PARTICIPE PASSÉ : voulu

## POUVOIR
PRÉSENT : je/tu peux, il peut, nous pouvons, vous pouvez, ils peuvent
FUTUR : je pourrai, etc.
PARTICIPE PASSÉ : pu

## SAVOIR
PRÉSENT : je/tu sais, il sait, nous savons, vous savez, ils savent
FUTUR : je saurai, etc.
PARTICIPE PASSÉ : su

## VOIR, PRÉVOIR
PRÉSENT : je/tu vois, il voit, nous voyons, vous voyez, ils voient
FUTUR : je verrai/prévoirai, etc.
PARTICIPE PASSÉ : vu

## ACCUEILLIR
PRÉSENT : j'/il accueille, tu accueilles, nous accueillons, vous accueillez, ils accueillent
FUTUR : j'accueillerai
PARTICIPE PASSÉ : accueilli

## 6.c. Infinitif en -RE

## ÉCRIRE
PRÉSENT : j'/tu écris, il écrit, nous écrivons, vous écrivez, ils écrivent
PARTICIPE PASSÉ : écrit

## SUIVRE
PRÉSENT : je/tu suis, il suit, nous suivons, vous suivez, ils suivent
PARTICIPE PASSÉ : suivi

## TRADUIRE, PRODUIRE
PRÉSENT : je/tu produis, il produit, nous produisons, vous produisez, ils produisent
PARTICIPE PASSÉ : produit

## LIRE
PRÉSENT : je/tu lis, il lit, nous lisons, vous lisez, ils lisent
PARTICIPE PASSÉ : lu

## PRENDRE, COMPRENDRE, APPRENDRE
PRÉSENT : je/tu prends, il prend, nous prenons, vous prenez, ils prennent
PARTICIPE PASSÉ : pris

## RÉPONDRE, PERDRE
PRÉSENT : je/tu réponds, il répond, nous répondons, vous répondez, ils répondent
PARTICIPE PASSÉ : répondu

## CONNAÎTRE
PRÉSENT : je/tu connais, il connaît, nous connaissons, vous connaissez, ils connaissent
PARTICIPE PASSÉ : connu

## VIVRE
PRÉSENT : je/tu vis, il vit, nous vivons, vous vivez, ils vivent
PARTICIPE PASSÉ : vécu

## ATTEINDRE
PRÉSENT : j'/tu atteins, il atteint, nous atteignons, vous atteignez, ils atteignent
PARTICIPE PASSÉ : atteint

## SUFFIRE
PRÉSENT : je/tu suffis, il suffit, nous suffisons, vous suffisez, ils suffisent
PARTICIPE PASSÉ : suffi

## CROIRE
PRÉSENT : je/tu crois, il croit, nous croyons, vous croyez, ils croient
PARTICIPE PASSÉ : cru

**N.B.** Quand le futur et l'imparfait ne sont pas indiqués, ils sont conformes aux règles (§ 3.b. pour le futur, § 3.c. pour l'imparfait).

# LES DÉTERMINANTS

| Articles définis | | | Art. indé-finis | Art. parti-tifs | Adj. démons-tratifs | Adjectifs possessifs | | | | | | Adj. inter-rogatifs | Adj. indéfini* « tout » |
| | avec à | avec de | | | | | | | | | | | |
|---|---|---|---|---|---|---|---|---|---|---|---|---|---|
| Masculin { le, l' | au, à l' | du, de l' | un | du, de l' | ce, cet | mon | ton | son | notre | votre | leur | quel | tout |
| Féminin { la, l' | à la, à l' | de la, de l' | une | de la, de l' | cette | ma, mon | ta, ton | sa, son | notre | votre | leur | quelle | toute |
| Pluriel les | aux | des | des | | ces | mes | tes | ses | nos | vos | leurs | quels, quelles | tous, toutes |

(*) S'utilise avec un autre déterminant : tout le … toute la … tous ces … toutes leurs …

# L'INTERROGATION

## 1. QUESTION SANS VERBE

– Pronom ou nom, ou adjectif, ou adverbe : *Vous ? L'ONU ? Et eux ? Avec M. Lebeau ? Petit ? Ici ?*
– Mot interrogatif : *Qui ? Pourquoi ? Depuis quand ? Avec quoi ? À quelle heure ?*

## 2. QUESTION AVEC VERBE À L'INFINITIF

*Être ou ne pas être ? Que faire ? Comment y aller ? Pourquoi ne pas le dire ?*

## 3. PHRASE INTERROGATIVE

### 3.a. Trois modèles

❶ (MOT INTERROGATIF) + EST-CE QUE + SUJET + VERBE (+ COMPLÉMENT) ?

| | Est-ce que | vous | êtes | d'accord ? |
| Pourquoi | est-ce qu' | il | proteste ? |
| Qu' | est-ce qu' | elle | fait ? |

Ce modèle est le modèle courant : il s'utilise surtout quand on parle, mais aussi à l'écrit.

❷ (MOT INTERROGATIF) + VERBE + SUJET (+ COMPLÉMENT) ?
OU (MOT INTERROGATIF) + SUJET + VERBE + PRONOM SUJET (+ COMPLÉMENT) ?

| | Êtes- | | vous | d'accord ? |
| Pourquoi | proteste-t- | | il ? |
| Pourquoi | ce monsieur proteste-t- | | il ? |
| Que | fait- | | elle ? |

Ce modèle est utilisé essentiellement à l'écrit et ne fonctionne pas avec « je ».

❸ (MOT INTERROGATIF) + SUJET + VERBE (+ MOT INTERROGATIF/ + COMPLÉMENT) ?

| | Vous | êtes | d'accord ? |
| | Il | proteste | pourquoi ? |
| Pourquoi | il | proteste ? |
| | Elle | fait | quoi ? |

Ce modèle s'utilise essentiellement quand on parle.

### 3.b. Avec négation

La règle (le verbe entre les deux mots de la négation – voir page 131) ne change pas, mais pour le modèle ❷, le sujet est aussi entre les deux mots.

**❶** (MOT INTERROGATIF) + EST-CE QUE + SUJET + **NE** + VERBE + **PAS** ( + COMPLÉMENT) ?
Pourquoi est-ce que vous ne commandez pas ce modèle ?

**❷** (MOT INTERROGATIF) + **NE** + VERBE + SUJET + **PAS** ( + COMPLÉMENT) ?
Pourquoi ne commandez-vous pas ce modèle ?

**❸** (MOT INTERROGATIF) + SUJET + **(NE)** VERBE + **PAS** ( + MOT INTERROGATIF/ + COMPLÉMENT) ?
Pourquoi il (ne) commande pas ce modèle ?

### 3.c. Avec pronoms compléments

La règle pour la place des pronoms ne change pas (voir page 136).

### 3.d. À un temps composé

**❶** (MOT INTERROGATIF) + EST-CE QUE + SUJET + AUXILIAIRE + VERBE ( + COMPLÉMENT) ?
Comment est-ce que vous avez trouvé ce produit ?
Est-ce que la voiture va marcher ?

**❷** (MOT INTERROGATIF) + AUXILIAIRE + SUJET + VERBE ( + COMPLÉMENT) ?
Comment avez- vous trouvé ce produit ?
OU (MOT INTERROGATIF) + SUJET + AUXILIAIRE + PRONOM SUJET + VERBE ( + COMPLÉMENT) ?
La voiture va-t- elle marcher ?

**❸** (MOT INTERROGATIF) + SUJET + AUXILIAIRE + VERBE ( + COMPLÉMENT/ + MOT INTERROGATIF) ?
Vous avez trouvé ce produit comment ?
La voiture va marcher ?

### 3.e. Avec négation et pronom complément à un temps composé

**❶** (MOT INTERROGATIF) + EST-CE QUE + SUJET + **NE** + **PRONOM** + AUXILIAIRE + **PAS** + VERBE ( + COMPLÉMENT) ?
Est-ce que le client ne va pas en préférer un autre ?
Pourquoi est-ce que vous ne les avez pas achetés ici ?

**❷** (MOT INTERROGATIF) + **NE** + **PRONOM** + AUXILIAIRE + SUJET + **PAS** + VERBE ( + COMPLÉMENT) ?
Ne vous l' avais- je pas dit hier ?
Comment ne l' a-t- il pas vu ?

# L'EXPRESSION DE LA QUANTITÉ

## 1. ON PEUT COMPTER

| | | | |
|---|---|---|---|
| zéro | un(e) | deux ou trois... | des... |
| pas de... | un(e) seul(e) | quelques... | beaucoup de... |
| | | (très) peu de... | de nombreux... |

**Vous avez combien de...?**

| | | |
|---|---|---|
| je n'en ai pas | j'en ai deux ou trois | j'en ai cinq |
| j'en ai un/une (seul/e) | j'en ai quelques-uns | j'en ai beaucoup |

## 2. ON NE PEUT PAS COMPTER

| | | | |
|---|---|---|---|
| pas de... | un (petit) peu de... | du.../de la... | beaucoup de... |
| ne ... rien (du tout) | (très) peu de... | des... | |

## 3. QUANTITÉS RELATIVES

| | | | | |
|---|---|---|---|---|
| ▢ pas assez de... | assez de... | trop de... | | |
| ▢ le quart (1/4) | 50 % (pour cent) | la plupart des... | tout | le double |
| cinq fois moins | un sur deux | | tous/toutes | cinq fois plus |
| une partie de... | la moitié (1/2) | | l'ensemble de... | |

## 4. COMPARER LES QUANTITÉS

| – | = | + |
|---|---|---|
| moins de... que... | autant de... que... | plus de... que... |
| inférieur à... | égal à... | supérieur à... |
| le moins de... | la même quantité de... | le plus de... |

# COMPARATIF ET SUPERLATIF

| COMPARATIF | SUPERLATIF |
|---|---|
| **PLUS/MOINS/AUSSI** + adjectif + **QUE**<br>**PLUS/MOINS/AUSSI** + adverbe + **QUE**<br>*Cet immeuble est plus ancien que l'autre.*<br>*J'y vais moins souvent que vous.*<br>*Je suis aussi désolé que vous.*<br>*La réunion va durer aussi longtemps que celle d'hier ?* | **LE PLUS/MOINS** + adjectif<br>**LE PLUS/MOINS** + adverbe<br>*C'est l'appareil qui va le plus lentement.*<br>*C'est ce bureau qui est le moins confortable.* |
| **Attention !**<br>plus + bon(ne) → **MEILLEUR(E)**<br>*Il a un meilleur emploi qu'avant.*<br><br>plus + bien → **MIEUX**<br>*Ça va mieux ce matin ?* | *C'est le meilleur produit du marché.*<br><br><br>*C'est le modèle qui se vend le mieux.* |
| **VERBE** + **PLUS/MOINS/AUTANT QUE**<br>**PLUS/MOINS/AUTANT DE** + NOM ... **QUE**<br>*Ils travaillent plus que nous.*<br>*Ils ont bien plus de congés que nous.*<br>*Mais non, ils ont autant de congés que nous et ils travaillent autant que nous.* | **VERBE** + **LE PLUS/MOINS**<br>**LE PLUS/MOINS DE** + NOM<br>*C'est celui qui m'intéresse le moins.*<br>*Ce sont eux qui ont le plus de congés.* |

# LA NÉGATION

**Il faut toujours deux mots :**

NE + PAS
NE + QUE (= SEULEMENT)
NE + JAMAIS (≠ TOUJOURS)
NE + RIEN (≠ QUELQUE CHOSE)
NE + PERSONNE (≠ QUELQU'UN)
NE + PLUS (≠ ENCORE)

**Le <u>verbe ou l'auxiliaire</u> est toujours entre les deux mots.**

*Elle **ne** <u>travaille</u> **plus** ?*
*Il **n'**<u>a</u> **pas** écrit.*
*Elle **n'**est **pas** encore arrivée ?*
*Il **ne** <u>va</u> **jamais** venir ! Il **ne** <u>devait</u> **jamais** le dire !*

**<u>Les pronoms compléments</u> se placent toujours entre NE et le verbe.**

*Il **n'**y **va** pas souvent.*
*Elle **ne** s'**appelle** pas comme ça.*
*Vous **ne** <u>les</u> **avez** jamais vus ?*
***Ne** <u>le</u> **prenez**-vous pas ?*

Dans les expressions à l'infinitif, les deux mots de la négation sont avant le verbe, et les pronoms compléments entre les deux mots de la négation et le verbe.

***Ne pas** utiliser cet appareil, s'il vous plaît.*
*Que faire ? Y aller ou **ne pas** y aller ?*

# L'EXPRESSION DU TEMPS

**Avant ...** ← |
avant de (+ infinitif)
|
   ◄ - - - - - - - - - - - - - -

**Pendant ...**
- - - - - - - - - - - - - - - - - - - - -

| → **Après ...**
après (+ infinitif passé)
- - - - - - - - - - - - - - - ► |

**de** huit heures......................................
...................................
..........................**à** midi

**du** lundi...........................................
...................................
..........................**au** vendredi

**entre** huit heures .............................
...................................
..........................**et** midi

**à partir de**.....................................
...................................
..........................**jusqu'à/en**...

commencer (à)................................
........continuer (à)............
..........................finir (de)

le début ...........................................
........la suite.....................
..........................la fin

d'abord...............................................
........puis/ensuite..............
..........................enfin

## DEPUIS ... OU ... IL Y A

*Il travaille ici* **depuis** *trois mois* (il travaille encore ici). Le verbe est au **présent**.

*Il a travaillé* **il y a** *trois mois* (il ne travaille plus). Le verbe est au **passé composé**.

◄ - - - - - - - - - - - - - - - - - **Passé** - - - - - - - - - - - - - - - - ►  ◄ - - **Présent** - ►  ◄ - - - - - - - - - - - - **Futur** - - - - - - - - - - - - ►

| | | | | | |
|---|---|---|---|---|---|
| il y a longtemps | il y a trois semaines | il y a une heure | maintenant | | demain |
| il y a dix ans | la semaine dernière | il y a un instant | en ce moment | tout de suite | après-demain |
| l'an dernier | il y a quelques jours | à l'instant | aujourd'hui | tout à l'heure | dans trois jours |
| l'année dernière | avant-hier | | cette semaine | | la semaine prochaine |
| il y a deux mois | hier | | cette année | bientôt | le mois prochain |
| le mois dernier | | | actuellement | | l'an prochain |
| | | | | | l'année prochaine |
| | | | | | dans vingt ans |

..................*il est parti* ..................*il vient de partir*..................*il part* ..................*il va partir* ..................*il partira*
*(on peut dire aussi il part demain/*
*dans deux mois...)*

# L'ACCORD DES ADJECTIFS QUALIFICATIFS

**FÉMININ : ( + E) - PLURIEL : + S**

**Exemples :**
*Il est désolé, elle est désolée aussi.*
*Il est célibataire, elle est célibataire aussi.*
*Ils sont tous célibataires, et elles sont toutes désolées.*

**-ER, -ET → -ÈRE, -ÈTE au féminin.**
*Elle est la première.*
*C'est une étrangère.*
*La dernière fois, la salle était complète.*

**-EL, -EN → -ELLE, -ENNE au féminin.**
*C'est une voiture ancienne, européenne.*
*C'est une voiture actuelle, italienne.*

**-AL → -AUX au pluriel.**
*Ce sont des agents commerciaux spéciaux.*

# NOMINALISATIONS

## VERBE = NOM + ER
un accord    accorder
une adresse    adresser
une annonce    annoncer
un appel    appeler
un arrêt    arrêter
une baisse    baisser
une commande    commander
un commerce    commercer
un contrôle    contrôler
un coût    coûter
une date    dater
une demande    demander
une dépense    dépenser
un début    débuter
un désir    désirer
un don    donner
un double    doubler
un échange    échanger
un emploi    employer
une enveloppe    envelopper
un envoi    envoyer
un essai    essayer
une étude    étudier
une excuse    excuser
une facture    facturer
une fête    fêter
une limite    limiter
(voir aussi limitation)
un manque    manquer
une marche    marcher
une note    noter
un oubli    oublier
une paie (= salaire)
payer    (voir aussi paiement)
un pardon    pardonner
une photocopie    photocopier
un programme    programmer
une question    questionner
un refus    refuser
un regard    regarder
un regret    regretter
une rencontre    rencontrer
un retour    retourner
un souhait    souhaiter
un stock    stocker
une taxe    taxer
une télécopie    télécopier
un téléphone    téléphoner
un transport    transporter
un travail    travailler
une visite    visiter
un voyage    voyager

## VERBE = NOM + IR
un accueil    accueillir
un choix    choisir
une offre    offrir

## NOM = VERBE sans -ER + ATION
accepter    une acceptation
administrer    une administration
améliorer    une amélioration
appeler    une appellation
associer    une association
augmenter    une augmentation
communiquer    une communication
confirmer    une confirmation
déclarer    une déclaration
expliquer    une explication
exporter    une exportation
exposer    une exposition
fabriquer    la fabrication
fixer    une fixation
former    une formation
habiter    une habitation
indiquer    une indication
informer    une information
inviter    une invitation
limiter    une limitation
louer    une location
modifier    une modification
motiver    une motivation
occuper    une occupation
organiser    une organisation
participer    une participation
passer    une passation
préparer    une préparation
présenter    une présentation
prononcer    une prononciation
proposer    une proposition
protester    une protestation
réaliser    une réalisation
réclamer    une réclamation
réparer    une réparation
répéter    une répétition
réserver    une réservation
saluer    une salutation
situer    une situation

## NOM = VERBE sans -ER + TION
diminuer    une diminution
évoluer    une évolution
diriger    une direction
gérer    une gestion

interrompre    une interruption
produire    une production
réduire    une réduction
traduire    une traduction
recevoir    une réception
réfléchir    une réflexion

## NOM = VERBE À L'INFINITIF
déjeuner    un déjeuner
devoir    un devoir
dîner    un dîner
revoir    un au revoir
savoir    un savoir

## NOM = PARTICIPE PASSÉ
AU FÉMININ
arriver    une arrivée
durer    une durée
entreprendre    une entreprise
entrer    une entrée
garantir    une garantie
penser    une pensée
prendre    une prise
reprendre    une reprise
sortir    une sortie
venir    une venue (la bienvenue)

## NOM = PARTICIPE PASSÉ
AU MASCULIN
assurer    un(e) assuré(e)
employer    un(e) employé(e)
faire    un fait
inviter    un(e) invité(e)
produire    un produit

## NOM = VERBE + -MENT
abonner    un abonnement
bâtir    un bâtiment
changer    un changement
commencer    un commencement
dépasser    un dépassement
investir    un investissement
loger    un logement
payer    un paiement
recruter    un recrutement
rembourser    un remboursement
remercier    un remerciement
renseigner    un renseignement

# NOMINALISATIONS

## NOM = VERBE + -ANCE
assurer    une assurance
connaître    une connaissance
croître    une croissance
insister    une insistance
préférer    une préférence
référer    une référence

## AUTRES
acheter    un achat
aimer    un amour
décider    une décision
discuter    une discussion
fermer    une fermeture
garer    un garage
intéresser    un intérêt
livrer    une livraison
marchander    un marchandage
ouvrir    une ouverture
partir    un départ
perdre    une perte
préciser    une précision
prévoir    une prévision
répondre    une réponse
résulter    un résultat
satisfaire    une satisfaction
servir    un service
vendre    une vente

## NOM DE PERSONNE = VERBE + -ANT
commercer    un(e) commerçant(e)
débuter    un(e) débutant(e)
étudier    un(e) étudiant(e)
fabriquer    un(e) fabricant(e)
gérer    un(e) gérant(e)
habiter    un(e) habitant(e)
présider    un(e) président(e)

## NOM DE PERSONNE = VERBE + -EUR
acheter    un acheteur
annoncer    un annonceur
assurer    un assureur
demander    un demandeur
diriger    un directeur
employer    un employeur
entreprendre    un entrepreneur
envoyer    un envoyeur
livrer    un livreur
loger    un logeur
louer    un loueur
payer    un payeur
produire    un producteur
travailler    un travailleur
visiter    un visiteur
voyager    un voyageur

## NOM DE PERSONNE = VERBE + -ATEUR
administrer    un administrateur
informer    un informateur
préparer    un préparateur
réparer    un réparateur
utiliser    un utilisateur

## NOM = ADJECTIF + -ITÉ/ETÉ
actif    une activité
ancien    une ancienneté
collectif    une collectivité
comptable    une comptabilité
exclusif    une exclusivité
national    une nationalité
possible    une possibilité
rapide    une rapidité
responsable    une responsabilité
solide    une solidité
spécial    une spécialité
gratuit    une gratuité

## ADJECTIF EN -NT → NOM EN -NCE
absent    une absence
différent    une différence
présent    une présence
important    une importance
indépendant    une indépendance
puissant    une puissance

# LES PRONOMS

| | sujet ❶ | tonique ❷ | réfléchi ❸ | C.O.D. ❹ | Cpl. d'attribution ❺ | Cpl. de lieu ❻ | C.O.I. C.O.D. avec art. indéf. avec partitif ❼ |
|---|---|---|---|---|---|---|---|
| **PRONOMS PERSONNELS** | je/j' | moi | me/m' | me/m' | me/m' | | |
| | tu | toi | te/t' | te/t' | te/t' | | |
| | il | lui | se/s' | le/l' | lui | | |
| | elle | elle | se/s' | la/l' | elle | | |
| | on* | soi/(nous)* | se/s' | (nous)* | (nous)* | | |
| | nous | nous | nous | nous | nous | | |
| | vous | vous | vous | vous | vous | | |
| | ils | eux | se/s' | les | leur | | |
| | elles | elles | se/s' | les | leur | | |
| **PRONOMS ADVERBES** | ça | ça | se | ça | y | y | en |
| **PRONOMS RELATIFS** | qui | qui quoi | – | que | à qui | où | de qui de quoi |

*on remplace souvent **nous** en langage familier parce qu'il est plus simple. (**Nous, on** s'arrête là = **Nous, nous nous** arrêtons là.)

❶ **SUJET** : Je m'adresse à vous **qui** connaissez bien la question.

❷ **TONIQUE** Insistance : *Moi, je travaille le dimanche.*
Après préposition : *C'est différent chez **eux**.*
Après c'est, ce sont : *C'est **vous** ? Ce sont **eux**.*

❸ **RÉFLÉCHI** (avec verbe pronominal) : *Je **m'**arrête de fumer. Ça **se** dit couramment.*

❹ **COMPLÉMENT D'OBJET DIRECT (accusatif)** : *Je vais **le** réparer. C'est le modèle **que** vous choisissez ?*

❺ **COMPLÉMENT D'ATTRIBUTION (datif, question « à qui ? »)** : *Il **lui** parle. Elle **leur** envoie un fax.*

❻ **COMPLÉMENT DE LIEU (question « où ? »)** : *Il **y** va demain. C'est l'usine **où** elle travaille.*

❼ **COMPLÉMENT D'OBJET INDIRECT (question « de quoi ? »)** : *Il **en** parle dans sa lettre.*
ou **COMPLÉMENT D'OBJET DIRECT AVEC ARTICLE INDÉFINI OU PARTITIF** : *Il **en** a commandé (en = des enveloppes, du papier...) Il va **en** acheter un (en = un ordinateur).*

| PRONOMS DÉMONS-TRATIFS | Singulier | masculin | **celui** | celui-ci | celui-là | celui de... | celui qui... | celui que... |
|---|---|---|---|---|---|---|---|---|
| | | féminin | **celle** | celle-ci | celle-là | celle de... | celle qui... | celle que... |
| | Pluriel | masculin | **ceux** | ceux-ci | ceux-là | ceux de... | ceux qui... | ceux que... |
| | | féminin | **celles** | celles-ci | celles-là | celles de... | celles qui... | celles que... |

# LA PLACE DES PRONOMS COMPLÉMENTS

1. Les pronoms ❸, ❹, ❺ et les pronoms-adverbes EN et Y se placent avant le verbe ou l'auxiliaire du verbe au passé.

*Vous **les** avez visités ? Je vais **y** aller demain. Je n'**en** ai pas acheté . Je peux **l'**essayer ?*

2. Quand il y a deux pronoms compléments :

*Il **me la** donne. Vous **les leur** envoyez ? Il **lui en** a offert ? Je **vous y** invite.*

# INDEX DU VOCABULAIRE

important/e
international/e
Italie (f)
italien/nne
Japon (m)
japonais/e
langue (f)
Maroc (m)
marocain/e
Mexique (m)
mexicain/e
monnaie (f)
nationalité (f)
officiel/e
ou
pays (m)
Pays-Bas (m)
personne (f)
Pologne (f)
polonais/e
portugais/e
Portugal (m)
Suède (f)
suédois/e
siège social (m)
Suisse (f)
suisse
superficie (f)
travail (m)
turc/turque
Turquie (f)
ville (f)

## DOSSIER 6

d'accord
agent (commercial) (m)
assurances (f)
branche (f)
carte de visite (f)
chez (prép.)
chimie (f)
client/e (m/f)
commerçant/e (m/f)
commerce (m)
commercial/e
dans (prép.)
d'ici
entendu !
faire (v.)
ici
informatique (f)
ingénieur (m/f)
leur
leurs
médecin (m/f)
mes
nos

pour (prép.)
pourquoi ?
présenter (v.)
profession (f)
produit (m)
province (f)
rencontrer (v.)
secrétaire (m/f)
service
ses
au sujet de (prép.)
souvent
technicien/nne (m/f)
tourisme (m)
touriste (m/f)
travailler (v.)
venir (v.)
vos

## DOSSIER 7

agenda (m)
août
après (prép.)
avant (prép.)
avril
congés (m pl)
date (f)
décembre
demi/e
dimanche (m)
entre (prép.)
été (m)
fermé/e
février
habituellement
heure (f)
hiver (m)
horaire (m)
janvier
jeudi (m)
jour (m)
juillet
juin
libre
lundi (m)
magasin (m)
mai
mardi (m)
mars
matin (m)
mercredi (m)
midi
minuit
moins
mois (m)
occupé/e
octobre

ouvert/e
novembre
possible
premier/ère
prendre (v.)
quand ?
quart (m)
rendez-vous / RV (m)
réunion (f)
samedi (m)
semaine (f)
septembre
soir (m)
télécopie (f)
ça va  (v. aller)
vendredi (m)

## DOSSIER 8

aller (v.)
bancaire
banque (f)
beaucoup
campagne (f)
chaque/
combien de temps ?
comment ça ?
complet/ète
compliqué/e
continu/e
déjeuner (m)
dire (v.)
direction (f)
durée (f)
durer (v.)
foire (f)
grand/e
ne ... jamais
journée (f)
avoir lieu (v.)
longtemps
mi-temps  (m)
note de service (f)
nouveau/velle
ouverture (f)
parce que
partiel/lle
pas du tout
pause (f)
pendant
personnel (m)
petit/e
un peu
quelquefois
rencontre (f)
restaurant (m)
rester (v.)
ne... rien

salon (m)
sur (prép.)
plein-temps (m)
tous (pronom)
très
visite (f)
visiter (v.)
voyager (v.)

## DOSSIER 9

appeler (tél.) (v.)
après-demain
après-midi
aujourd'hui
bientôt
ce / cette / ces
chef (m/f)
communiqué (m)
congrès (m)
dans (prép.)
demain
destinataire (m/f)
exactement
fixer (v.)
le/ la/ les (pronom)
lettre (f)
maintenant
nuit (f)
organiser (v.)
préparer (v.)
présentation (f)
prêt/e
prochain/e
programme (m)
repas (m)
réunion (f)
salle (f)
savoir (v.)
séminaire (m)
stage (m)
avoir le temps de (v.)
tout à l'heure
urgent/e

## DOSSIER 10

adresse (f)
agro-alimentaire (m)
ami/e (m/f)
au/à la/aux
boîte postale/B.P. (f)
bonsoir
café (m)
cinéma (m)
collègue (m/f)
devoir (v.)
encore

ensemble
entrée (f)
envoyer (v.)
eux (pronom)
hôtel (m)
interruption (f)
musée (m)
où ? (pronom)
avec plaisir
professionnel/lle
réservé/e à
se retrouver (v.)
au revoir
salutations distinguées
sans (prép.)
tout de suite
vente (f)
y (pronom)

## DOSSIER 11

atelier (m)
avenue (f)
bâtiment (m)
carrefour (m)
à côté de  (prép.)
dernier/ère
derrière (prép.)
deuxième,...
devant (prép.)
dire (v.)
à droite de  (prép.)
endroit (m)
entrepôt (m)
escalier (m)
étage (m)
fabriquer (v.)
en face de (prép.)
feux (m pl)
gare (f)
à gauche de  (prép.)
gens (m pl)
habiter (v.)
me  (pronom)
où (relat.)
parking (m)
passer par (v.)
place (f)
pont (m)
porte (f)
prendre (v.)
qui (relat.)
rue (f)
simple
taxi (m)
tout droit
traverser (v.)
se trouver (v.)

Z.I. / zone industrielle (f)

## DOSSIER 12

absent/e
agréable
aimer (v.)
anniversaire (m)
autoroute (f)
autre
avant (prép.)
carte (f)
château/x (m)
compte rendu (m)
demander (v.)
dîner (m)
direction (f)
en direction de (prép.)
dommage
en (prép.)
espérer que (v.)
est (m)
fêter (v.)
intéresser (v.)
invitation (f)
inviter (v.)
jusqu'à/en (prép.)
loin de (prép.)
nord (m)
on (pronom)
ordre du jour (m)
oublier (v.)
ouest (m)
participer à (v.)
à partir de (prép.)
se perdre (v.)
avoir le plaisir de
plan (m)
près de (prép.)
présent/e
réception (f)
regarder (v.)
répondre (v.)
route (f)
R.S.V.P.
soirée (f)
spectacle (m)
sud (m)
sympathique
tenez !
train (m)
voilà
voiture (f)
volontiers

## DOSSIER 13

argent (m)

article (m)
avoir besoin de
bien
bon de commande (m)
calculatrice (f)
commande (f)
commander (v.)
disquette (f)
en (pronom)
enveloppe (f)
il me faut (v.)
imprimante (f)
information (f)
insister (v.)
inventaire (m)
manquer de (v.)
n'est-ce pas ?
ordinateur (m)
papier (m)
peu de
photocopieuse (f)
ne ... plus
un de plus
prendre (v.)
problème (m)
proposer (v.)
quantité (f)
quelque chose
qu'est-ce que ?
refuser (v.)
remercier de (v.)
rester (v.)
temps (m)
vraiment

## DOSSIER 14

acheter (v.)
administration (f)
ancien/nne
petite annonce (f)
appartement (m)
aussi ... que
banlieue (f)
bon/nne
bon marché
boutique (f)
centre ville (m)
cher/chère
confortable
coûter (v.)
garage (m)
immédiatement
immeuble (m)
industriel/lle
local/aux (m)
logement (m)
louer (v.)

loyer (m)
luxe (m)
meilleur/e ... que
même ... que
métro (m)
mieux ... que
moderne
moins (de) ... que
offrir à (v.)
pièce (f)
plus (de) ... que
prix (m)
puis
quartier (m)
rénover (v.)
rez-de-chaussée (m)
sincères salutations (f pl)
situé/e (v. situer)
splendide
suivre (v.)
surface (f)
tout/ toute/ tous/ toutes
utiliser ... à/pour (v.)
valoir (v.)
vendre (v.)
voir (v.)

## DOSSIER 15

appareil (m)
assez
autre chose
blanc/che
bleu/e
caisse (f)
comme (prép.)
compris (inclus)
(v. comprendre)
couleur (f)
dépendre de (v.)
désirer (v.)
devis (m)
essayer (v.)
exemplaire (m)
facture (f)
faire (prix) (v.)
garantir (v.)
gratuit/e
gris/e
HT
jaune
là-bas
lequel/laquelle ?
modèle (m)
noir/e
offre (f)
payer (v.)
pièce (f)

préférer à (v.)
puissant/e
rapide
réduction (f)
réfléchir à (v.)
réponse (f)
retourner ... à (v.)
rouge
seulement
si
solide
spécial/e/aux/ales
taille (f)
taxes (f pl)
transport (m)
trop
T.T.C.
valable
vert/e

## DOSSIER 16

actuellement
adjoint/e (m/f)
apprendre (v.)
arrêter (v.)
bac/baccalauréat (m)
B.T.S. (m)
célibataire (m/f)
comme (prép.)
commencer à (v.)
comptabilité (f)
C.V./curriculum vitae (m)
déjà
demande (f)
depuis (prép.)
devenir (v.)
diplôme (m)
école (f)
emploi (m)
ensuite
entrer (v.)
études (f pl)
étudiant/e (m/f)
étudier (v.)
exact/e
expérience (f)
formation (f)
gestion (f)
il y a (prép.)
indépendant/e
lycée (m)
métier (m)
en ce moment
né/e le (v. naître)
s'occuper de (v.)
partir (v.)
passer (du temps) (v.)

quitter (v.)
responsable/ de
ressources humaines (f pl)
séjour (m)
service (m)
service militaire (m)
seul/e
suivre des études (v.)
sur le terrain (m)
universitaire
université (f)

## DOSSIER 17

aéroport (m)
aller (m)
arriver (v.)
avant-hier
avion (m)
bar (m)
billet (m)
bruit (m)
celui/ celle/ ceux/ celles (pronom)
celui-ci (pronom)
celui-là (pronom)
c'est ça !
chambre (f)
choisir (v.)
classe (f)
confirmation (f)
confirmer que (v.)
départ (m)
double
douche (f)
hier
du monde
non ... plus
principal/e
recevoir (v.)
repartir de/pour (v.)
réservation (f)
réserver (v.)
retour (m)
salle de bains (f)
un seul/une seule
stand (m)
type (m)

## DOSSIER 18

accepter de (v.)
cependant
changer (v.)
concerner (v.)
prendre contact avec (v.)
contre (prép.)
donc
donner (v.)

échanger contre (v.)
en effet
erreur (f)
excuse (f)
garantie (f)
impossible/
inadmissible/
indiquer que (v.)
laisser (v.)
lire (v.)
livrer (v.)
machine (f)
mal
marcher (v.)
navré/e
normal/e
occuper (v.)
or
organisateur/trice (m/f)
se passer (v.)
prier de (v.)
en promotion (f)
protestation (f)
protester contre (v.)
que (relat.)
réclamation (f)
regretter de (v.)
rembourser (v.)
réparer (v.)
reprendre (v.)
retard (m)
somme (f)
Veuillez (v. vouloir)

## DOSSIER 19

action (f)
actuel/lle
anciennement
anonyme
associé/e (m/f)
capital (m)
collectif/ve
conseil d'administration (m)
contrôle (m)
dictionnaire (m)
différent/e de
différemment
difficile
ça veut dire
contrôle (m)
entrepreneur (m)
expliquer que (v.)
expression (f)
facile
gérant/e (m/f)
gérer (v.)
heureusement

heureux/se
individuel/lle
lent/e
lentement
lettre (f)
limite (f)
limiter à (v.)
maximum (m)
minimum (m)
mot (m)
part (f)
personnel/lle
prochainement
professionnellement
prononcer (v.)
quand
responsabilité (f)
ressembler à (v.)
S.A. (f)
S.A.R.L. (f)
servir à (v.)
spécialement
traduire (v.)
vouloir (v.)

## DOSSIER 20

accueil (m)
accueillir (v.)
association (f)
avis (m)
budget (m)
changement (m)
comité (m)
demander si (v.)
environ
il faut (+ inf.) (v.)
idée (f)
intermédiaire (m/f)
interprète (m/f)
livraison (f)
modifier (v.)
ne ... que
obtenir ... de (v.)
d'autre part
d'une part
pièce (f)
poser (v.)
préciser que (v.)
référence (f)
se renseigner sur (v.)
réparation (f)
solution (f)
souhaiter (v.)
stock (m)
trouver (v.)
vieux/vieille
voyage (m)

## DOSSIER 21

abonnement (m)
affaires (f pl)
atteindre (v.)
augmentation (f)
augmenter de (v.)
autant de ... que
baisse (f)
baisser de (v.)
capital social (m)
car
comme
conditions (f pl)
crédit (m)
crise (f)
demande (f)
dépasser de (v.)
dépense (f)
diminuer de (v.)
diminution (f)
étant donné que
évoluer (v.)
évolution (f)
exportations (f pl)
exposition (f)
fabrication (f)
faible
fort/e
gagner (v.)
hors de (prép.)
général/e
grâce à (prép.)
gros/sse
inférieur/e à
intéressant/e
journal (m)
loisirs (m pl)
marché (m)
en même temps que
mondial/e
perdre (v.)
pire
la plupart de
c'est pourquoi
publicité (f)
réaliser (v.)
recettes (f pl)
saisonnier/ère
second/e
spécialiste (m/f)
stable
stagnation (f)
stagner (v.)
standard (m)
supérieur/e à
traditionnel/lle
vacances (f pl)

## DOSSIER 22

activité (f)
améliorer (v.)
d'après (prép.)
avant de (+ inf.)
calme
catastrophe (f)
certain/e de/que
contrat (m)
croire que (v.)
début (m)
débutant/e (m/f)
déclarer que (v.)
délégué/e (m/f)
demande (f)
se demander si (v.)
discours (m)
discuter de (v.)
écouter (v.)
marchandage (m)
marchander (v.)
niveau (m)
norme (f)
opinion (f)
penser que (v.)
point de vue (m)
produit (m)
projet (m)
qualité (f)
quelques
rappeler que (v.)
se réjouir de (v.)
relation (f)
résultat (m)
salaire (m)
secteur (m)
sembler que (v.)
signer (v.)
succès (m)
sûr/e
bien sûr !
trouver que (v.)
vite
vrai/e

## DOSSIER 23

j'aimerais (v. aimer)
amélioration (f)
aussi
avenir (m)
chômage (m)
chômeur/euse (m/f)
constater que (v.)
continuer à (v.)
décision (f)

sans doute
expert/e (m/f)
famille (f)
futur (m)
avoir l'intention de (v.)
investir (v.)
objectif (m)
optimiste
pessimiste
peut-être
prêt/e à
prévision (f)
prévoir que (v.)
probablement
réduire (v.)
si
souhait (m)
stratégie (f)
taux (m)
tendance (f)
vie (f)
vivre (v.)

## DOSSIER 24

d'abord
s'adresser à (v.)
ancienneté (f)
à l'attention de (prép.)
candidat/e à (m/f)
capable/ de
ce que/qui
à condition de
connaître (v.)
content/e
en effet !
l'ensemble de
envisager de (v.)
exclusivement
explication (f)
même si
tout le monde
faire l'objet de (v.)
à l'occasion de
part de marché (f)
possibilité (f)
poste (m)
promotion (f)
recruter (v.)
restructurer (v.)
réussir à (v.)
risquer de (v.)
satisfaire (v.)
sauf si
il suffit de (v.)
suivant/e

# INDEX GRAMMATICAL

Aubin Imprimeur

LIGUGÉ, POITIERS

Composition et photogravure : Charente Photogravure
Achevé d'imprimer en janvier 1994
N° d'édition 10014745 I (20) CSB 90°

N° d'impression P 44634
Dépôt légal janvier 1994 / Imprimé en France